D0811517

**Openbare Bibliotheek
Osdorp**
Osdorpplein 16
1068 EL Amsterdam
Tel.: 610.74.54
www.oba.nl

afgeschreven

Hij of ik

Ander werk van Dirk Weber

Kies mij! (2005) Vlag en Wimpel 2006
Duivendrop (2008) Zilveren Griffel 2009

Dirk Weber

Hij of ik

**Openbare Bibliotheek
Osdorp**
Osdorpplein 16
1068 EL Amsterdam
Tel.: 610.74.54
www.oba.nl

Amsterdam · Antwerpen
Em. Querido's Uitgeverij BV
2010

www.queridokinderboeken.nl
www.dirkweber.nl

Copyright © 2010 Dirk Weber

Niets uit deze uitgave mag worden verveelvoudigd en/of
openbaar gemaakt, in enige vorm of op welke wijze ook, zonder
voorafgaande schriftelijke toestemming van Em. Querido's
Uitgeverij BV, Singel 262, 1016 AC Amsterdam.

Omslag Marlies Visser
Omslagbeeld Getty Images

ISBN 978 90 451 1090 5 / NUR 283

Philip

'Volgende halte Von Humboldt, reizigers voor de blauwe lijn in de richting Amundsen of in de richting Nobile kunnen hier overstappen. Station Von Humboldt.'

De trein rijdt het licht binnen en stopt, de deuren gaan open en mensen stappen uit. Mensen stappen in, Philip blijft zitten. Hij kijkt. Een vrouw in een lichtblauwe jas met een koffer op wieltjes, een man met een rillend hondje, twee meisjes die een koptelefoon delen, ieder een oordopje. De trein begint te rijden, de mensen op het perron worden een rij, een muur. En dan is het weer donker en verandert de ruit in een spiegel. Een gewone jongen. Niet groot, niet klein, niet bijzonder mooi of lelijk. Gewoon Philip. Philip onderweg naar zijn oma in het Universiteitsziekenhuis. De vorige keren was zijn moeder mee, maar deze keer gaat hij alleen. Eén halte nog. Hoe zou het nu gaan? De laatste keer herkende oma hem niet.

Er beweegt iets in de spiegeling van de ruit. Iemand zit naar hem te kijken. Philip draait zich om en kijkt in het gezicht van de man. Een knikje, geen groet, eerder *had je wat?*

'Volgende halte Universiteitsziekenhuis, reizigers voor de roze lijn in de richting Mendel of in de richting Watson kunnen hier overstappen. Station Universiteitsziekenhuis.' Snel staat Philip op, bijna verliest hij zijn evenwicht als de metro remt.

Links of rechts? Ingang westzijde, ingang zuidzijde, welke was het nou? West, west was het, hij weet het zeker. De roltrap op en dan naar binnen. Neurologie A6, gewoon de pijlen volgen. Vierde verdieping.

5

Achter de balie zit dezelfde zuster als vorige keer. 'Jij komt voor je oma. Loop maar door hoor.'

Het is stil op de gang. Philip gaat er vanzelf voorzichtiger van lopen. Veel deuren zijn dicht en overal hangen bordjes: *Stilte*. Bij de kamers waarvan de deuren openstaan zijn de gordijnen dicht, alsof het al avond is.

Oma zit op de rand van haar bed. Ze heeft haar kleren aan, alleen haar schoenen niet. 'Jongeman, kan je me even helpen met mijn schoenen, ik heb een beetje last van mijn rug.'

'Hallo oma.'

'Ken ik je ergens van?'

'Ik ben het, Philip.'

'Philip? O, nu zie ik het. Hallo jongen, kom je me ophalen?'

'Ik kom op bezoek.'

'Dat is lief van je, maar ik ga zo naar huis. Ik heb al een taxi gebeld, hij is er zo.'

Iemand komt door de gang aanlopen, het is de verpleegster. Ze blijft in de deuropening staan. 'Mevrouw Michielse, wilt u thee? Wil jij ook?'

'Ja, dat kan nog wel even. Heb je mijn kleinzoon wel eens gezien? Philip, dit is Madeleine. Madeleine heeft heel goed voor me gezorgd de afgelopen tijd. Madeleine, dit is Philip, de zoon van mijn zoon Maarten en Anne. Ik mag het niet zeggen maar hij is mijn favoriete kleinzoon.'

Philip lacht, hij is haar enige kleinzoon. Madeleine lacht terug. *Alice* staat er op het naambordje op haar borst. 'Zal ik de jas even terughangen?' vraagt ze aan oma.

'Ja, doe dat maar, ik ben toch nog wel een beetje moe.'

'Vertel eens over jullie nieuwe huis. Over je nieuwe school: hoe gaat het met die leraar waar je het over had, die Keijzer?'

Ze drinken thee en praten over school, over de stad die oma beter kent dan Philip. En eigenlijk is dat nog het verwarrendst, dat wat ze weet en wat ze vergeten is zo door elkaar lopen.

'Maken jullie het niet te laat?' vraagt de verpleegster aan Philip als ze de kopjes komt ophalen. Hij moet weg, hij kan het ook aan oma zien.

'Ach Alice,' zucht oma, 'ik ben nu toch wel erg moe.'

Philip helpt Alice oma op bed te leggen. Als Alice weg is, gaat Philip nog even naast het bed zitten. Oma praat over haar huis en hoe erg ze het mist. Ze heeft Philips hand gepakt en aait erover met haar eigen bottige hand, een vogelpoot.

'Wat een lieve jongen ben je toch. Zo anders dan je vader... Zo anders. Ja, en nu moet je gaan, ik moet even rusten. Kun je die zuster even roepen, die dikke. Ze zit vast weer puzzels te maken achter die balie van haar. Ik ben haar naam even vergeten maar ze moet even helpen. Zo'n slechte bediening hier, echt niet vooruit te branden.' Ze kijkt hem aan. 'Nou, ga je nog?'

'Ja, ik ga nu weg. Papa komt vanavond nog even en mam komt morgenochtend. Dag oma.'

'Dag Philip, fijn dat je je oude oma even kwam bezoeken.'

'Dag oma.'

Alice zit achter de balie een kruiswoordpuzzel te maken. 'Mevrouw? Mijn oma vroeg of u haar nog even kon helpen.'

Alice glimlacht. 'Ik ga zo. Fijne middag nog.'

Zijn schoenen tsjirpen op de glimmende vloer in de gang, het klinkt verdrietig. In gedachten verzonken loopt hij naar de lift. Voor de deur staat een bed geparkeerd waarin een man een computerspelletje ligt te spelen. Een vrouw met een verband als een tulband staat naast het bed maar stapt niet in als de liftdeuren opengaan.

Philip is blij als hij buiten is, al zijn het maar een paar stappen tot de ingang van het metrostation. De groene lijn, richting Marconi. Het is druk op het perron. Mensen komen van hun werk. Snel instappen, anders heeft hij geen plek. De deuren gaan open en Philip staat vooraan, hij is als eerste binnen. Vreemd dat bijna niemand volgt. De deuren gaan dicht. Roze. Roze, niet groen! Hij duwt op de knop maar de deur gaat niet meer open. Buiten staat een haag van mensen naar hem te kijken terwijl de trein begint te rijden. Blijf rustig, je stapt gewoon de volgende halte uit en je gaat terug. Zo simpel is het. Philip blijft bij de deur staan. Duurt het altijd zo lang?

'Volgende halte 7 oktoberplein. Station 7 oktoberplein.'

Gewoon uitstappen en omlopen. De roltrappen omhoog, even op het bord kijken. Daar is het Universiteitsziekenhuis. De roze lijn richting Mendel moet hij hebben. Als je weet hoe het werkt, is het makkelijk. Erg druk is het niet. Nu hij erop let: het is uitgestorven. Hij loopt door de gangen, de roltrap af en gaat op een bankje zitten. Eerstvolgende trein over twaalf minuten. Hij heeft een boek bij zich, hij hoeft zich niet te vervelen.

Lezen lukt niet, het is te stil, de ruimte te groot. Nog negen minuten. Hij hoort stemmen van kinderen maar dat is aan de overkant. Philip probeert verder te lezen in zijn boek.

Als hij opkijkt, ziet hij dat ze hem staan te bekijken. Ze praten met elkaar, een meisje en een jongen van ongeveer zijn leeftijd, en een jonger jochie, een broertje misschien. Ze roepen wat, Philip luistert half. Het klinkt alsof ze het tegen

8

hem hebben, alsof ze hem uitdagen en tegelijk bang voor hem zijn. Net als bij belletje lellen.

'Olaf! Hé, dove! Hé, hondenkop!'

Philip kijkt op.

'Hé, wat ben je stil! Olaf is een hondenkop, Olaf is een hondenkop.'

Philip haalt zijn schouders op en probeert verder te lezen. De kleine jongen haalt voorzichtig een blikje uit een vuilnisbak. Hij loopt tot de rand van het perron en slingert het dan over de sporen naar Philip toe. Het blikje draait, schrijft met de cola die er nog in zit een krul in de lucht en klettert dan voor Philip op de grond. De laatste cola spat eruit, over zijn schoenen, de onderkant van zijn broek.

'Hé! Ben je gek of zo!'

Zodra Philip overeind gekomen is, deinzen de kinderen aan de overkant terug. Het meisje is geschrokken, de kleine jongen kijkt naar haar, hoopt dat ze het stoer vond of leuk maar nu hij dat aan haar gezicht niet kan zien, is hij onzeker. Dan begint de grotere jongen te lachen. Het meisje nu ook en de kleine daarna, heel overdreven. Philip doet twee stappen tot de rand van het perron en meteen houdt het meisje op met lachen.

'Ik ben heus niet bang voor je, hoor,' roept ze, maar zo klinkt het niet.

'Ja, ik ben ook niet bang van je, Olaf!'

'Ik heet niet Olaf.'

Ze smoezen wat met elkaar. De kleine is weer in een prullenbak aan het zoeken.

'Ik waarschuw je hoor!' roept Philip.

De kleine kijkt verschrikt om.

'Ja jou. Ik waarschuw je!'

Blijkbaar is Olaf een gevaarlijk type want het jongetje trekt zijn handen uit de bak terug.

9

Uit de tunnelbuis komt een vlaag wind, je kan de metro al ruiken. De grote jongen loopt tot de rand en tuft zo ver hij kan. 'Denk maar niet dat we bang voor je zijn.'

'Of dat we gek zijn, OLAF!' zegt het meisje. 'Dat we je niet herkennen omdat je andere kleren aanhebt.'

'Olaf is een hondenkop,' hoort hij nog als de trein tussen ze in staat.

Philip stapt in en gaat zitten, hij kijkt opzij door het raam. De oudste jongen steekt zijn middelvinger naar hem op. De kleine gaat op een bank staan en steekt zijn billen achteruit. Het meisje lacht een beetje zenuwachtig. Dan verdwijnen ze links uit het raam.

Olaf? Hoe kunnen ze zich zo vergissen, alle drie tegelijk? Hoeveel meter is het tot de overkant van het perron, vijf, zes meter? Hij zou ze herkennen, hij zou ze niet met andere kinderen verwarren.

'Volgende halte Universiteitsziekenhuis, reizigers voor de groene lijn in de richting Marconi of in de richting Bell kunnen hier overstappen. Station Universiteitsziekenhuis.'

Deze keert let hij extra goed op, twintig minuten later is hij thuis.

Anne

Voor mensen die van de stad houden is het een mooi huis. In een straat met oude bomen, met grote appartementen, met een trapje buiten en een grote hal. Heel vroeger zat er zelfs een portier in het hokje bij de voordeur, maar die is er niet meer. Er is een lift en een trap. Philip neemt de lift.

Binnen is het donker. Pas als hij een lamp aandoet ziet hij het briefje op tafel.

Hallo lieverd,
Fijne dag gehad?
Kun je het eten doen? Ik ben om 7 uur thuis en Maarten iets later.
Tot straks,
Anne

Dat wist hij al. Nog een uurtje. Hij gaat naar zijn kamer en haalt het neurologieboek uit zijn tas, gaat op bed liggen en knipt het bedlampje aan.

Toen oma opgenomen werd, heeft hij het boek uit de bibliotheek gehaald, hij moest weten wat er met haar aan de hand was, maar het boek is te moeilijk en dat irriteert hem. Want ergens in zijn achterhoofd voelt hij dat het goed komt als hij weet wat er met oma mis is, als hij het begrijpt.

Hij is te moe om te lezen. Hij klapt het boek dicht en doet het licht weer uit.

In de koelkast staan de bakken met eten, iedere dag een eigen sticker. Woensdag macaronidag, *in vier minuten een heerlijke maaltijd op tafel.* Hij dekt de tafel en probeert nog wat te lezen in het hersenboek. Het is niet besmettelijk wat oma

11

heeft. Dat staat er niet in, maar dat komt omdat het zo logisch is dat het er niet hoeft te staan. Olaf, zo noemden ze hem. Hoe komen ze erbij. Net zo gek als oma, alle drie.

'Wat zit je in het donker! Hoe was je dag, hoe was het bij oma?' Zijn moeder zet haar tas op een stoel en loopt terug naar de gang om haar natte jas op te hangen.

'Regent het?'

'Huh? Ja, behoorlijk hard zelfs. Nou, hoe was het bij oma?'

'Ging wel. Net was het nog droog.'

'Ja, zo gaat dat soms met regen. Leuk dat je me even vertelt hoe het was.'

'Ze dacht dat ik pap was. Ze haalt alles door elkaar. Later ging het wel.'

'Tja. Vroeg de zuster nog wat?'

'Of ik thee wilde.'

'Hè, doe niet zo flauw. Over dat verpleeghuis.'

'Dat bespreken ze niet met mij.'

'Sorry. Doe jij het eten, dan trek ik even wat anders aan.'

Philip doet de bak in de magnetron, de telefoon gaat. Eerst de magnetron aan, dan de telefoon opnemen, dat scheelt weer tijd.

'Philip? Neem jij hem even?'

4 minuten 700 watt. Aan.

'Hallo?'

Het is Maarten. 'Hallo Philip. Even kort: het loopt wat uit. Ik eet even onderweg. Jullie weten toch dat ik naar oma ga?'

'Ja, dat weet ik.'

'Oké, zie ik je straks. Ik eet dus niet mee.'

'Ik begrijp het.'

Maarten heeft al neergelegd.

'Wie was het?' vraagt Anne.
    'Maarten, hij eet niet mee.'
    'Hè, wat ongezellig. Nou, dan eten we wel samen.'

'Je kan er dood aan gaan, wist je dat.'
    'Ja, dat weet ik,' zegt Anne.
    'Dat ze dingen door elkaar haalt, dat komt omdat er
bloedvaatjes kapot zijn. Dat ze alles vergeet, dat is niet de
ziekte, dat is het gevolg ervan.'
    'Maakt dat uit?'
    'Ik wist niet dat je er dood aan kon gaan. Ik vind het niet
erg dat ze dingen door elkaar haalt.'

'Pip? Als ik afwas, doe jij je huiswerk.'
    'Er is geen afwas en ik heb ook geen huiswerk voor mor-
gen.'
    'Wat doe je dwars. Ben je moe?'

'Ik was nog verkeerd gereden met de metro.'
    'Hoe kan dat nou?'
    'Gewoon, verkeerde trein.'
    'En toen?'
    'Toen de goede.'

'Komt er iets leuks?'
    Philip bladert door de tv-gids. 'Een film.'
    'Een leuke?'
    'Ik heb hem nog niet gezien.'

'Vind je dat ik op Maarten lijk?'
    'Ja. Ja, zeker.'
    'Oma vindt van niet.'
    'Ik vind van wel.'

'Je bent partijdig. Je bent mijn moeder.'
'Als ik jou was zou ik op tijd naar bed gaan.'

Als je veel aan je hoofd hebt, moet je juist niet naar bed gaan. Dat weet iedereen, behalve ouders. Hij ligt er nu al een halfuur in, maar kan nog steeds niet slapen. Hij heeft de tomatenpillen geslikt die een 'gezonde nachtrust' beloven, maar ze helpen niet en de andere pillen mag hij niet te vaak nemen. Maarten is thuisgekomen, hij hoort hem met Anne praten. Philip staat op en doet het gordijn een stukje open. Vanuit zijn bed kan hij de lucht boven de huizen aan de overkant zien en de vliegtuigen die knipperend overvliegen. Eén, twee, drie...

Daphne

De afspraak met mevrouw Klinker is pas over een uur; te kort om tussendoor naar huis te gaan, te lang om niets te doen. Gelukkig is aan het einde van de dag de bibliotheek lekker rustig en is er altijd wel een computer vrij. Buiten op het plein slenteren Vincent en zijn vrienden verveeld in de richting van de fietsenhokken. Philip zoekt een tafeltje uit het zicht en gaat zitten. Iemand heeft met potlood een lieveheersbeestje op het tafelblad getekend. Hij maakt zijn wijsvinger nat en veegt het uit. Hij kijkt het Engels voor morgen door en maakt de opgaven voor wiskunde.

Zijn fiets lijkt nog heel, pas als hij ermee wegfietst voelt hij dat er iets niet klopt. Iemand heeft de snelbinders onder zijn spatbord gedaan, en in de paar meter die hij gereden heeft, zijn ze zo strak om zijn as gedraaid dat hij stilstaat. Hij loopt een stuk achteruit, tot de snelbinders afgewikkeld zijn. Dan kan hij weg. Het valt mee, er is niets kapot.

Drs. D. M. Klinker, Psycholoog & psychotherapeut staat er op het bordje. Philip belt aan en kijkt naar het cameraoogje boven de luidspreker. De deur zoemt open. In de wachtkamer is een hele wand beplakt met een foto van een bos. Het licht is alsof het zomer is maar aan de bladeren kun je zien dat die al voorbij is. Het lijkt een beetje op het bos bij hun oude huis. Door de foto kan hij zich de geluiden en de geuren meteen weer herinneren. Vorige week was hij hier voor het eerst, om kennis te maken. Anne was mee, het stelde niet veel voor. Mevrouw Klinker wil Daphne genoemd worden en ze wil graag met Philip praten.

De deur van de spreekkamer gaat open, mevrouw Klinker laat een vrouw uit en dan komt ze naar de wachtkamer. Ze ziet Philip nog net geeuwen.

'Hallo Philip, fijn dat je er bent.'

Ze pakt thee en een glas water voor Philip, ze praten wat over het weer, over niks. Dan gaan ze de spreekkamer binnen. Philip gaat op de bank zitten, mevrouw Klinker in de stoel ertegenover.

'Vind je het goed dat het raampje openstaat of is het te fris?'

'Het maakt me niet uit.'

Ze pakt een schrijfblok, doet haar halve bril op en slaat een paar bladzijdes terug.

'Anne vertelde me vorige keer dat je moeite hebt je draai te vinden. Om nieuwe contacten te leggen. Dat het op de nieuwe school wat minder gaat. Dat je moeite hebt met de verhuizing. Klopt dat?'

'Ik wilde niet verhuizen. Ik moest.'

'Je was liever niet verhuisd.'

'Ik moest.'

'Soms heb je geen invloed op hoe dingen gaan, moet je iets accepteren. Dat is niet gemakkelijk.'

'Ik mocht altijd meebeslissen. Over alles. Maar dat waren allemaal onbelangrijke dingen. Verhuizen is het eerste belangrijke en dan mag ik meteen niet meer meepraten.'

'Je hebt het gevoel dat je mening niet telt.'

Door het open raampje komt een lieveheersbeestje naar binnen vliegen. Het maakt een onhandige bocht en landt op de schouder van mevrouw Klinker. Ze merkt het niet.

'Er is iets anders, op school.'

'Wil je niet over de verhuizing praten?' Mevrouw Klinker glimlacht vriendelijk.

'Nee. Maar wel over een jongen op school. Ze zitten achter me aan.'

'Word je gepest?'

'Nou... Ja, een beetje.'

'Is er een reden dat ze achter je aan zitten?'

'Die jongen zei dat ik de remkabel van zijn fiets had kapotgemaakt. Mijn fiets stond naast die van hem in het hok. Om ervan af te zijn heb ik hem geld gegeven voor een nieuwe.'

'Maar je had de kabel niet kapotgemaakt?'

'Nee.'

'Waarom heb je hem dan betaald?'

'Dat had ik niet moeten doen.'

'Maar je hebt het gedaan om ervan af te zijn.'

'Ja, en nu heb ik ruzie. Anne zegt dat ik het tegen mijn mentor moet zeggen.'

'Wat vind je zelf?'

'Ik ga niet naar de mentor. Dat is klikken.'

'Maar je wilt dat het pesten stopt.'

'Ja.'

'Wat heb je tot nu toe gedaan om het te laten stoppen?'

'Nou. Niks eigenlijk. Ik probeer ze niet tegen te komen.'

'Helpt dat?'

Philip haalt zijn schouders op.

'Dat is volgens mij niet zo'n goede tactiek.'

'Wat moet ik dan?'

'Ik denk dat je moeder gelijk heeft. Hoe heet je mentor?'

'Meneer Mulder.'

'Dan ga je naar meneer Mulder en je vertelt wat er aan de hand is. De meeste scholen hebben een pestprotocol. Het is belangrijk dat jij je veilig voelt op school.'

Philip bijt op zijn lip.

'Als je het moeilijk vindt, kan ik ook wel even bellen met

meneer Mulder. Dan weet hij waar het over gaat.'

'Nee, nee, dat is niet nodig.'

'Wacht er niet te lang mee.'

Philip schudt zijn hoofd en probeert ongezien te geeuwen.

'Hoe gaat het met slapen? Je moeder vertelde dat je soms lang wakker ligt.'

'Gaat wel.'

'Je bent bij de huisarts geweest?'

'Ja, en ik heb pillen gekregen, maar die mag ik alleen in geval van nood gebruiken. Ik heb ook andere pillen, maar die helpen niet erg.'

'Ik zal je wat ontspanningsoefeningen meegeven. Je doet ze voor je naar bed gaat, veel mensen hebben er baat bij.'

Ze praten nog wat, dan is de tijd om. Hij krijgt een envelop mee met een vragenlijst en een A4'tje met ontspanningsoefeningen.

'Spreek ik je volgende week weer. Zelfde tijd. Dag Philip.'

'Dag mevrouw Klinker.'

7 oktoberplein

'Heb ik dat gezegd? Ik kan het me niet herinneren. Ik denk dat ik het anders bedoelde. Maarten is ook lief, maar hij laat het niet zo zien. Niet zoals jij. Zoiets.'

Oma zit aan de tafel bij het raam en prikt met een houten prikkertje in de haringstukjes die Philip meegenomen heeft. Vette vis, goed voor je hersenen.

Het gaat beter, veel beter dan vorige week en de week ervoor. Oma haalt de namen niet meer door elkaar. Ze moppert nog wel. Ze wil naar huis maar dat mag niet van de dokter.

'Ze snappen niet hoe belangrijk het voor me is om in mijn eigen bed te slapen, aan mijn eigen tafel te eten. Ik ben hier niet op mijn plek, begrijp je dat? Ik hoor hier niet. Ik mis mijn spullen. Als ik doodga, dan is dat thuis. Niet tussen die onpersoonlijke rommel, tussen vreemden.'

'De dokter zegt dat u helemaal niet doodgaat. U moet gewoon nog even geduld hebben.'

'Ja, ja. Je zou denken dat oude mensen geleerd hebben geduld te hebben. Nou, ik niet. Ik heb helemaal geen geduld meer. Die paar jaar die ik nog heb, ga ik niet zitten wachten op andere mensen. Genoeg nu, vertel me liever iets over jou.'

Hij haat het ziekenhuis, hoe sneller oma eruit mag hoe beter, dan hoeft hij hier ook niet meer naartoe te komen. Van ziekenhuizen krijgt hij een vieze smaak in zijn mond, alsof hij een slok heeft genomen van het schoonmaakmiddel waar de gangen naar ruiken.

In de hal is een koffiehoek, je kan er ook kauwgum kopen. Philip gaat in de rij staan, achter een man in een ochtendjas en een vrouw met een grote tas. Als hij opzij kijkt ziet hij haar staan: het meisje van het metrostation.

Ze is net opgestaan van een tafeltje. In de stoel naast haar zit een vrouw met zo'n standaard op wieltjes met een infuuszak eraan. Het meisje buigt voorover en kust de vrouw, dan loopt ze naar de uitgang.

'Jongeman? Wat mag het zijn?'

'Deze graag.' Philip pakt een pakje kauwgum uit het rekje en betaalt. Het meisje verdwijnt door de draaideur.

'Je krijgt nog geld terug...'

Philip is al weg. Als hij bij de draaideur is, loopt het meisje langs de taxi's naar de ingang van het metrostation. Wat is die deur sloom. Niet duwen, dan staat hij stil. Als hij er eindelijk doorheen is, staat zij op de roltrap naar beneden, en als hij bij de trap is, ziet hij haar nog net de gang in lopen naar het perron.

Waarom volgt hij haar eigenlijk, wat gaat hij zeggen? Niks. Hij gaat gewoon voor haar staan en dan zegt zij: 'O, ik heb me vergist, van een afstand lijk je op hem, maar van dichtbij niet. Helemaal niet zelfs.'

Daar komt de metro, nu moet hij naar haar toe. Te laat, ze stapt al in. Wat nu? Hij stapt ook in. Het is druk, er staan minstens zeven mensen tussen hem en haar in. Hij wacht tot ze uitstapt.

7 oktoberplein, daar stapt ze uit, maar ze is niet alleen. Ze loopt naast een vrouw naar de uitgang. Op de roltrap neemt ze zelfs de boodschappentas van de vrouw over. Philip twijfelt, maar gaat dan toch achter haar aan. Bij de trap laat hij iemand anders voor. Als het meisje omkijkt, mag ze hem niet zien, nu nog niet.

Boven aan de trappen slaan het meisje en de vrouw rechts

af. De vrouw blijft bij de uitgang van het station wachten, misschien wordt ze opgehaald. Het meisje zet de tas voor haar neer en steekt de brede weg over, in de richting van de flats aan de overkant. Halverwege draait ze zich even om en zwaait naar de vrouw.

Philip wacht bij de uitgang van het station tot het meisje aan de overkant is, dan komt hij ook naar buiten. Hij moet wachten met oversteken, een bus, een paar auto's en een scooter die snel dichterbij komt. Twee scooters. De eerste is nu vlakbij. Philip kijkt, ziet de jongen op de scooter. Zijn adem stokt.

De jongen op de scooter ziet hem. Hun ogen als magneten, terwijl de scooter verder raast. De jongen zit nu bijna achterstevoren op het zadel. De geparkeerde auto's! Philip schreeuwt en wijst, de jongen draait zich met een ruk om en probeert de auto's te ontwijken. Hij remt, slipt en krast langs de achterste. Het alarm van de auto begint te loeien. De scooter slipt de andere kant op en nu kan de jongen het stuur niet meer houden. De scooter maakt een rare zwaai, slaat over de kop, de jongen vliegt eraf en klapt op de grond.

De tweede scooter komt nu ook voorbij. Er zitten twee jongens op. De jongen aan het stuur probeert de scooter op de grond te ontwijken door een scherpe bocht naar rechts te maken en daardoor valt de jongen achterop bijna van het zadel. Hij grijpt zich vast. Samen verliezen ze bijna hun evenwicht maar ze botsen niet. Ze remmen en staan verderop slippend stil. Het alarm van de auto loeit boven alles uit.

Olaf. Philip begrijpt meteen dat ze hem met Olaf verward hebben. Olaf is overeind gekrabbeld. Hij hinkt en houdt met zijn linkerhand zijn rechterelleboog vast. Hij kijkt Philip aan, hij ziet zichzelf. Hij pakt de scooter, trekt hem overeind en probeert hem te starten maar het lukt niet.

De jongens op de andere scooter roepen dat hij op moet schieten, wijzen naar het begin van de straat waar nog twee scooters aankomen. Olaf probeert de motor nog een keer aan de praat te krijgen. Als dat niet lukt, gooit hij hem neer en gebaart naar de anderen dat ze door moeten rijden. Zelf hinkt hij naar de kant van de weg, waar hij verdwijnt tussen de mensen die op een bus staan te wachten.

Hoe lang heeft het geduurd? Seconden, nog geen minuut. De scooter met de twee jongens scheurt weg. De vrouw met de boodschappentas staat te praten met een man die is komen aanlopen. Ze wijst naar de auto's en naar de bushalte waar Olaf verdwenen is. Uit de kapperszaak naast de ingang van het station is een vrouw gekomen, ze heeft een soort badmuts op waar allemaal plukjes haar uit steken. Ze loopt om de beschadigde auto heen en schudt haar hoofd.

Daar zijn de andere scooters. Twee scooters, vier jongens. Een ervan rent meteen naar de scooter die op de grond ligt. Er stopt een bus bij de halte, mensen stappen uit en lopen naar het station. Is dat Olaf daar?

Een van de jongens heeft Philip gezien. Hij roept en wijst. Een tweede jongen springt van zijn scooter. Philip twijfelt heel even, dan draait hij zich om en rent het metrostation in. De hal door, de trap af. Een kaartje! Hij moet zijn kaartje hebben om op het perron te komen. Zijn achtervolger komt de trap af. Jaszak, broekzak, jaszak nog een keer. Daar is het. Hij steekt het kaartje in de gleuf, de deurtjes gaan met een zucht opzij. Philip struikelt naar binnen. De deurtjes sluiten achter hem. Daar is zijn achtervolger. Hij heeft geen kaartje en hij kijkt Philip door de ruitjes van de gesloten deurtjes vuil aan. Hij slaat met een vuist tegen het glas. 'Ik vermoord je! Vuile dief!'

Philip loopt achteruit in de richting van de trap naar het perron. De deurtjes blijven dicht, de jongen volgt hem niet.

Hij blijft op zijn hoede tot de metro komt. Pas als de deuren van de trein achter hem dichtgegaan zijn, durft hij te gaan zitten.

Hoe kunnen ze zo op elkaar lijken? Het is verwarrend en griezelig.

Dubbelganger

'Hallo Marthe, mag ik mijn vader even?'

(...)

'O. Weet je hoe laat?'

(...)

'Nee, dat hoeft niet. Ik probeer het nog wel een keer.'

(...)

'Nee hoor, dank je. Dag.'

'Ha Mam, kan je me even terugbellen? Ik ben thuis.'

'Dag mevrouw. Ik bel voor mevrouw Michielse, ze ligt op kamer 414.'

(...)

'Hoe laat kan het wel?'

(...)

'Philip. Ik ben haar kleinzoon.

(...)

'Ja, dank u. Dan probeer ik het over... over 25 minuten. Dag.'

Philip gaat op de bank zitten en staart voor zich uit. Wat wil hij? Een logische verklaring. Hij wil dat Maarten belt en hem zegt hoe het zit. Dat gemiddeld twee op de zestien miljoen mensen er helemaal hetzelfde uitzien of dat het drie keer per jaar ergens op de wereld voorkomt. En dat zoiets heel natuurlijk is. Of dat Anne belt en zegt dat hij zich geen zorgen hoeft te maken. Dat wil hij het liefst. Maar eigenlijk is alles beter dan een antwoordapparaat of een secretaresse.

Onder in de boekenkast staan de fotoboeken. Er zijn ook filmpjes, netjes op datum, met een etiket waarop staat waar en wanneer het opgenomen is. Dat kan je Maarten wel toevertrouwen. De babyboeken heeft Anne gemaakt. De eerste foto van het eerste boek is van Anne, voor hij geboren was. Ze lacht en ze ziet er gelukkig uit. Schuin achter haar zie je de ingang van een gebouw, een koperen naamplaat en een beeldje van een pelikaan op een sokkel. Op alle andere foto's staat Philip. Met opa en oma, de vader en moeder van Anne, speciaal overgekomen uit Canada. Met oma Michielse en opa die toen nog leefde. Alleen, in een dik pak met een gerimpeld hoofdje, zo klein als een hondje. In een bakje, een doorzichtige ziekenhuiswieg, met een mutsje op en een geel bandje om zijn pols en de eerste foto waar hij op staat, op de buik van Anne. Een roodroze baby met blauwige knietjes en nat haar. Een groene lap met donkere vlekken. Bloed. Smerig, zo'n bevalling.

De telefoon.
'Ben je alweer thuis jongen?' Het is oma.
'Ja, het is niet zo ver.'
'Mooi. Je had gebeld, zeg het eens.'
Hoe moet hij beginnen. 'Was ik een tweeling?'
'Hoe kom je daar nou bij?'
'Ik heb iemand gezien die er precies zo uitziet als ik. Een dubbelganger.'
(...)
'Oma?'
'Ja jongen, ik moet even nadenken. Iemand die eruitziet als jij... Weet je, in de krant heb je zo'n rubriek met foto's waarop mensen... Door het licht of door... Soms lijkt het dan...'

'Andere mensen dachten ook dat ik hem was. We lijken echt heel erg op elkaar.'

'Jeetje Philip...'

'Was ik geen tweeling?'

'Nee, je was gewoon... alleen. Jongen, je opa had er vast een mooie verklaring voor kunnen geven. Ik weet het niet.'

'Geeft niet. Hoe gaat het met u?'

'Goed jongen, goed. Hè, ik vind het vervelend dat ik je niet kan helpen. Philip, mijn jongen, ik moet ophangen. De buurvrouw van de Lineausstraat komt net binnen. Bel me anders later nog even. Doe je dat?'

'Dag oma.'

Maarten en Anne zijn laat en als ze binnenkomen hebben ze ruzie. Maarten zou Anne ophalen maar is het vergeten en Anne heeft daarom bijna een uur staan wachten. Nu moeten ze zich haasten want het concert begint om acht uur. Zelfs tijdens het omkleden zijn ze nog aan het bekvechten. Als Philip Anne wil vertellen over de jongen krijgt hij een snauw: 'Nu even niet hoor, je ziet toch dat ik haast heb.' Hij gaat naar zijn kamer en doet de deur niet open als ze het even later bij het weggaan in één zin goed probeert te maken.

Hij zou van alles kunnen doen maar hij eet pizza op de bank voor de tv. De telefoon gaat twee keer: Anne, in de pauze van het concert. Hij neemt niet op. Hij kijkt naar een halve documentaire en een hele film en gaat dan naar bed.

Anne en Maarten hebben het bijgelegd, hij hoort het aan het lachje van Anne als ze binnenkomen. Ze klopt zachtjes op zijn deur. Philip doet alsof hij slaapt.

Nasi goreng

'Zit je weer in het donker!' Anne loopt mopperend door het huis, knipt lichten aan, pakt de krant van de bank en veegt de tijdschriften op de eettafel aan de kant. 'Je had de tafel toch wel kunnen dekken. Ik had toch gebeld dat ik later was.'

'Ik was bezig.'

'Ja, en ik ook. Flauw hoor. Nou, help me even.' Anne trekt een zak sla open, en pakt een doos nasi uit de koelkast. 'Doe jij de tafel, ik kom eraan.'

De voordeur gaat open en Maarten komt binnen. Hij is aan het bellen. Hij knipoogt naar Philip en met zijn vrije hand hangt hij zijn jasje over de leuning van een stoel. Dan loopt hij door naar zijn werkkamer. Philip hoort hem lachen: zijn werklach. Philip zet de borden op de tafel, net te hard.

'Lekker, heerlijk.' Zulke dingen zegt Maarten normaal nooit. Het is ook niet waar, het is dezelfde nasi als altijd. Een gebakken ei maakt een bak nasi nog niet *heerlijk*. Het is een spel en Anne doet eraan mee. Het begint met een complimentje. *Wat is het gezellig aan tafel.* Dan komen er een paar vragen die er eigenlijk niet toe doen: 'Hoe was het op je werk?' 'Hoe was het op school?' en dan komt de opmerking of de vraag waar het eigenlijk om draait. Gemakkelijk te herkennen want hij begint met 'o ja' of zoiets, waardoor hij onbelangrijk lijkt.

'Ik heb trouwens de reis toch nog maar niet afgezegd.'

Daar ging het dus om. Anne knikt en eet door, maar tegelijk kijkt ze hoe Philip reageert.

'Waarom niet?' vraagt Philip.

Maarten haalt diep adem, Anne legt haar vork neer.

'Waarom heb je nog niet afgezegd? Jullie kunnen toch niet op vakantie als oma in het ziekenhuis ligt?'

Maarten knikt en denkt na over een antwoord. 'Het is geen vakantie, het is werk, maar je hebt gelijk. We kunnen niet weg als ze in het ziekenhuis ligt, maar het gaat de goede kant op met oma. De dokter zei dat ze volgende week het ziekenhuis uit mag.'

'Dan kan het toch helemaal niet. Hoe kan ze nou alleen thuisblijven!' Het is oneerlijk. Ze verhuizen omdat oma zo oud wordt, omdat ze in de buurt willen zijn en nu ze ziek is en echt iemand nodig heeft, gaan Maarten en Anne twee weken naar de andere kant van de wereld.

'Nee, nee, ze kan niet alleen thuisblijven. Maar ze kan terecht in een verzorgingsflat. Tijdelijk, om bij te komen.'

'Dat wil oma helemaal niet. Ze wil naar huis.'

'Ja, maar dat kan niet.'

'Wel, als jullie hier blijven. Dan kunnen wij op haar passen.'

'Ja, en nou vind ik dat we er genoeg over gepraat hebben. We bedenken een oplossing.' Maarten legt het bestek op zijn bord, hij is klaar met eten.

'Je mag haar niet in zo'n bejaardenhuis stoppen omdat jij op vakantie wil. Ze is geen hond!'

Maarten staat op en beent de kamer uit.

'Philip! Philip, bied je excuses aan!'

Nu staat Philip ook op en loopt naar zijn kamer. Hij is boos en tevreden tegelijk.

Hij zit op zijn bed en probeert te lezen maar zijn gedachten dwalen naar het 7 oktoberplein. Hij ziet het verbaasde gezicht van Olaf weer voor zich. Hoe vindt hij hem terug?

'Philip?' Het is Anne. 'We gaan niet met ruzie slapen.'

28

Ze drinken thee en melk aan de keukentafel en leggen het bij. Maar ze praten niet over oma en al helemaal niet over Olaf.

Olaf

Het is vier uur 's nachts, het is donker en stil. Philip weet niet waar hij wakker van geworden is. Hij kijkt naar de schaduwen die een lamp buiten op de muren tekent en denkt aan Olaf. Hij heeft hem zelf gezien. Ze lijken op elkaar als een eeneiige tweeling. Hij moet hem weer zien. Bijna een uur later heeft hij een plan en is hij zo moe dat hij toch weer in slaap valt.

Om acht uur gaat de wekker. Hij heeft het eerste uur vrij en dat geeft hem genoeg tijd om zich voor te bereiden. Hij wacht tot Anne en Maarten weg zijn, dan gaat hij aan het werk. Hij maakt een e-mailadres aan, hij print en knipt briefjes en hij pakt een rol plakband. Uit de klerenkast haalt hij een pet en zijn zonnebril.

De dag op school gaat voorbij zonder bijzonderheden. In de eerste pauze komen Vincent en Bram zijn kant op maar hij kan zich verschuilen tussen de jassen aan de kapstokken en ze lopen door. Na de laatste les is hij als eerste buiten. Hij rent naar zijn fiets en rijdt naar de dichtstbijzijnde metrohalte. In de metro naar het 7 oktoberplein haalt hij zijn pet en zonnebril uit zijn tas, maar de bril stopt hij terug. Het weer is niet mooi genoeg, hij zou er juist aandacht mee trekken. Hoe dichterbij hij komt hoe zenuwachtiger hij wordt. Wat verwacht hij eigenlijk? Hij stapt uit op het 7 oktoberplein en wacht tot de laatste reizigers ingestapt zijn en de metro wegrijdt. Als het perron leeg is, gaat hij naar de trappen. Hij kijkt rond, er is niemand die op hem let. Hij haalt de rol plakband uit zijn tas en plakt een briefje op een pilaar bij het begin van de trap.

OLAF
mail me:
dubbelganger@live.com

Dat ging goed. Hij gaat de trap op en hangt er nog een vlak voor de poortjes bij de uitgang. Hij gaat erdoor en hangt een briefje aan de andere kant, bij de poortjes die toegang geven tot het perron. Dan loopt hij naar de uitgang van het station. Hij heeft er nog een paar. Een op een muur tussen twee reclameborden, nog een...

'En jij denkt: mooie lege muren hier. Laat ik mijn briefjes hier eens ophangen...'

Philip heeft hem niet zien aankomen. Het is geen echte politieagent maar zijn uniform ziet er behoorlijk serieus uit. In zijn rechterhand heeft hij de briefjes die Philip eerder opgehangen heeft.

'Ik zoek iemand, ik weet niet waar hij woont.'

'En dus? Zet maar een advertentie in de krant. Wat denk je. Hoe zou het eruitzien als iedereen hier briefjes ging opplakken?'

Alsof iedereen op zoek is naar een dubbelganger. Philip haalt zijn schouders op.

De man scheurt de briefjes van Philip demonstratief doormidden en steekt ze Philip toe. 'Meenemen en opdonderen.'

Philip knikt weer en loopt weg. Hij kan het buiten nog proberen maar eigenlijk durft hij het niet meer want de man staat hem nog steeds na te kijken. Philip loopt door tot de uitgang. Als hij omkijkt is de man verdwenen. Philip gooit de snippers in de prullenbak en loopt terug naar het perron. Hij is boos op de man, boos op zichzelf dat hij niet beter opgepast heeft. Kwaad schopt hij tegen een bank en doet zich pijn. De metro komt. Hij stapt in en gaat naar huis. Pas bij

31

de uitgang van het station bedenkt hij dat zijn fiets bij een andere halte staat.

Miriam, de hulp, is aan het stofzuigen. Ze schrikt van hem als hij de kamer in komt.

'Ik had je niet gehoord. Even dit afmaken hoor.'

Philip ploft neer op de bank. Hij pakt de krant, leest wat koppen en gooit hem verveeld weer neer. Er wordt aangebeld.

'Philip, kan jij even kijken?'

Hij gaat naar de deur en drukt op het knopje van de intercom.

'Hallo?'

'Kan je even beneden komen?' Het is een jongensstem. Hij praat plat. Ken juh effe buneejduh koomuh.

'Wie is daar?'

'Je zocht me.'

Zijn hart klopt in zijn keel. Olaf! Hoe heeft hij hem gevonden? Philip gaat naar beneden. Als hij uit de lift stapt, ziet hij hem door het glas van de voordeur staan. Heel even zou hij weer in de lift willen stappen, de voordeur dicht willen laten. Achter hem gaat de liftdeur dicht als een klein duwtje in de rug: ga maar. Hij loopt naar de voordeur en doet open.

Olaf grijnst. 'Hai.'

'Hoi.'

'Goed idee, die papiertjes.' Hij houdt een briefje omhoog. 'Ik zag je lopen bij de metro. Ik zag dat je ze weggooide en ik dacht: ik loop je gewoon even achterna, dan weet ik waar je woont. Ben je alleen thuis?'

'Miriam is er.'

'Zullen we even naar een rustige plek gaan, naar het park?'

'Even een jas halen.' Philip laat Olaf buiten staan. Hij doet de deur dicht en rent naar boven. Hij roept boven het lawaai van de stofzuiger uit naar Miriam dat hij even weg is, hij pakt zijn jas en rent weer naar beneden.

Het is maar een kort stukje naar het park. Ze lopen naast elkaar. Olaf weet de weg. In het park is het rustig: een paar wandelaars, een jogger, maar hoe verder ze van de ingang af zijn, hoe leger het wordt.

Olaf stopt bij de vijver. De oever is recht en afgezet met paaltjes. Olaf gaat voorovergebogen op de rand zitten en laat zijn benen boven het water bungelen. De uiteinden van zijn losse veters raken bijna het water.

Philip gaat naast hem staan en kijkt naar hun dubbele spiegelbeeld in het water. Zo naast elkaar is het nog vreemder. 'Ik zou geen tien verschillen noemen. Snap jij hoe het kan?'

'Toeval? Of misschien zijn we familie, zonder dat we het weten. Hoe heet je, hoe heten je ouders? Wacht. Ik zal eerst wat over mezelf vertellen. Ik ben Olaf Xavier Steens. Steens is de achternaam van mijn moeder. Daniëlle Steens. Mijn vader heet Fred en hij is een lul. Hij woont nu ergens in Italië met zijn snol. Ik heb hem bijna drie jaar niet gezien en nog geen dag gemist. Vroeger hadden we een tof huis, zwembad, paarden, drie auto's. En toen ging mijn vader ervandoor en nu wonen we in Noord. Je bent vast nooit in Noord geweest, want daar kom je niet voor je lol. Maar mijn vader wil niet betalen en mijn moeder kan niet met geld omgaan. O ja. Ik zit in de tweede brugklas en ik haat school. Ik hou van paardrijden en van zwemmen en ook van zeilen maar dat doe ik niet meer. Ik ben op 8 mei geboren, ik ben bijna veertien.'

'Wat is de achternaam van je vader?'

33

'Brussen.'

'Ben je enig kind?'

'Ja, helemaal alleen. En jij?'

Waar moet hij beginnen? Wat moet hij vertellen en wat laat hij weg? Het is alsof hij meedoet aan dat programma waarin geadopteerde kinderen op zoek gaan naar hun echte ouders. Anne kijkt er graag naar. Een kind komt in een dorp ergens ver weg en daar ziet hij zijn moeder en andere familie en je ziet dat ze bij elkaar horen maar ook dat ze vreemden zijn, ze verstaan elkaar niet eens.

'Ik ben Philip Michielse. Ik ben ook dertien, geboren op 18 juli.'

'Nou, geen tweeling dus.'

'Mijn moeder heet Anne en mijn vader Maarten. Mijn moeder is advocaat, ze werkt bij een advocatenkantoor. Mijn vader is partner b   accountantskantoor. Ik ben ook enig kind. We zijn p   le stad komen wonen omdat mijn oma hier woont. Ze   in het ziekenhuis. Mijn vader heeft geen broers of zussen en daarom wil hij bij haar in de buurt wonen. Ik zit ook in de tweede.'

'En je woont in Zuid. Niet slecht.'

'Vroeger woonden we bij een bos, dat vond ik beter.'

'Nou, ik was ook liever in ons oude huis gebleven. Vroeger praatte ik net als jij,' zegt Olaf en het klinkt bekakt. Hij strekt zijn voet en tikt met de punt van zijn schoen op het water. Hun weerspiegelde gezichten verdwijnen in de kringen. Olaf draait zich om en kijkt Philip aan. 'Het is wel veel toeval, vind je niet. Allebei in hetzelfde land, dezelfde stad, allebei dertien.'

'Misschien is het geen toeval.'

'Ja, misschien zijn we wel familie.'

'Misschien zijn we geadopteerd.' Philip krijgt het koud als hij het zegt.

34

Olaf komt overeind en slaat het gras van zijn broek. 'Of een van ons is geadopteerd.'

Daar had Philip niet eens aan gedacht. Misschien is dat nog wel erger: straks zijn de ouders van Olaf ook zijn ouders. En Anne en Maarten...

Olaf glimlacht. 'Maar het kan ook toeval zijn.'

'Ja, dat denk ik.'

'Heb je leuke ouders?'

'Hoe bedoel je?'

'Misschien zijn ze niet zo leuk als je altijd dacht, hebben ze iets voor je geheimgehouden.'

Philip bijt op zijn lip. Olaf kan niet weten dat hij boos is over de verhuizing, hij heeft het niet verteld. 'Ik ga het gewoon aan mijn vader en moeder vragen.'

'Ja, dat kan je doen. Maar ik zou er nog even mee wachten.'

'Waarom?'

'Nou, of ze weten er niks van, dan ben je snel uitgepraat of ze weten er wel wat van, dan hebben ze het dertien jaar geheimgehouden. Dan hebben ze al die tijd tegen ons gelogen. Een paar dagen erbij maakt dan ook niet uit. Ik wil er gewoon even over nadenken. Wil je wat voor me doen?'

'Niks verkeerds hè?'

'Waarom zeg je dat?'

'Die jongen die vorige keer achter me aan zat bij de metro, die dacht dat ik jou was, die zei dat ik, jij dus, een dief was.'

'Hij is zelf een dief. Die scooter is ook niet van hem.'

'Je mag nog helemaal geen scooter rijden, je bent dertien.'

'Bij jou mag dat niet, in mijn buurt wel. Maar je hoeft niks te doen wat niet mag. Doe je het?'

'Waarom zeg je niet wat het is?'

'Doe ik morgen. Kan je om kwart voor vier bij mij zijn? De flat tegenover de metro. Engelsdreef 149.'

'Oké.'

De telefoon van Olaf gaat.

'Ja, ja. Ik kom eraan. Een kwartiertje, twintig minuten.' Hij hangt op. 'Ik moet weg.'

Ze lopen naast elkaar naar de uitgang van het park. Olaf kijkt opzij naar Philip. 'We lijken echt op elkaar, hè.'

'Als tweelingbroers.'

'Maar mijn moeder heeft een litteken van de keizersnee.'

'Mijn vader heeft mijn hele geboorte gefilmd. Ik heb het zelf gezien, een keer.'

'Geen tweeling dus. Of die film is van iemand anders natuurlijk.'

Bij het hek nemen ze afscheid.

'Heb je een telefoon?'

Philip haalt hem uit zijn zak.

Ze wisselen nummers uit, Olaf steekt over en Philip kijkt hem na tot hij om de hoek verdwenen is. Dan loopt hij naar huis. Miriam is inmiddels weg. Hij maakt een verslag, net zoals Anne, als ze 's avonds de aantekeningen van gesprekken met cliënten uitwerkt.

Feiten:

Ik	Olaf
Geboren op 18 juli	Geboren 8 mei
13 jaar	13 jaar
Heb foto's en video van geboorte	Moeder heeft litteken

Ouders Maarten Michielse en Anne van Rijn
Ouders nog getrouwd
Geen broers en zussen
Ben wel goed op school
Onze ouders zijn geen familie

Ouders Daniëlle Steens en Fred Brussen
Ouders gescheiden
Geen broers en zussen
Weet niet of Olaf goed is op school

We zijn allebei in een ziekenhuis geboren maar misschien niet in hetzelfde (vragen aan Olaf).

Engelsdreef

Olaf woont in een flatgebouw schuin tegenover het metro-station. In het portiek liggen stapels folders, het stinkt er naar kattenpis. De lift klimt rammelend naar de elfde ver-dieping. De galerij ziet er beter uit. Er staan plantenbakken bij de voordeuren, verderop zelfs een boompje in een pot.

'Mooi op tijd. Kom verder.'
   'Is je moeder er niet?'
   'Nee, die komt pas om een uur of vijf.'
   De flat zelf is ruim en leuk ingericht en door de grote ramen kijk je over rijen huizen heen tot de weilanden en het bos erachter. De kamer van Olaf is anders, kaal als een hotelkamer: een bed, een tafel met een computer, een wand met dichte kasten. Niks aan de muur, alles wit. Geen boek te bekennen. Alleen in de vensterbank een fotolijstje met een foto van Olaf naast een groot bruin paard en een metalen geldkistje.
   'Wat moet ik doen?'
   'Bijna niks. Ik moet even weg en als ik weg ben, ga je naar beneden. Dan neem je de achteruitgang naar de boxen, de schuurtjes. Het enige wat je moet doen is daar een beetje rondhangen. Onze box is nummer 149, als die open is, kan je naar binnen, ik heb nu geen sleutel. En dat is alles. Ik kom je weer ophalen, het duurt maar een halfuur of zo.'
   'Ik snap het niet.'
   'Ik leg het je uit als ik terug ben. Ik moet nu gaan.'
   Philip loopt met Olaf mee tot de deur.
   'Tot zo.' Hij doet zachtjes de deur achter Olaf dicht.

Raar om alleen in het huis van iemand anders te zijn. Er kan plotseling iemand binnenkomen. Zo moet een inbreker zich ook voelen. Hij loopt naar de woonkamer. De blonde vrouw op de foto zal de moeder van Olaf wel zijn, ze staat op drie foto's in de kast. Op een foto staat ze alleen. Ze staat voor de uitgang van een gebouw, naast een bronzen beeldje van een pelikaan. Op de andere foto's staat ze met Olaf en met twee oude mensen. Philip dacht altijd dat hij op Anne leek, meer nog dan op Maarten, maar nu hij de foto's van de moeder van Olaf bekijkt, weet hij het niet meer. Hij lijkt evenveel op haar als op Anne, of even weinig.

In de kast staan boeken over fotografie, over tuinieren (handig op een flat), pa... ı, Italië en dans. Geen enkel kookboek, ook in de ke... niet. In de koelkast kant-en-klaarmaaltijden, net als... naar ook cola en drinkontbijt en kleine rode flesjes di... ıpari heten. De bovenkastjes staan vol witte potjes m... ıaminen. Het is een dubbel gevoel, ergens tussen nieu 'ıgierigheid en schaamte, dat je stiekem in iemands spullen kan rondkijken. Genoeg gespeurd, hij gaat naar beneden en door de achteruitgang de flat uit.

Tussen het flatgebouw en het volgende is een soort tuin met bankjes en wat versleten speeltoestellen. In de perkjes liggen blikjes, een fietsband, kartonnen dozen, lege flessen en plastic zakken. Er speelt geen kind. Naast de uitgang van de flat begint een lange rij deuren. Op de eerste deur staat nog een nummer, op die erna zijn de bordjes verdwenen. Philip loopt langs de deuren en probeert de ingekraste namen en teksten te lezen. Vanaf de eerste deur, 131, telt hij door tot 149 maar als hij aan de deurknop draait, gaat hij niet open. Misschien zijn het even en oneven nummers door elkaar: hij loopt terug en telt opnieuw tot hij bij 149 komt, maar ook die deur is op slot. Hij loopt wat heen en weer en gaat tegen een hekje geleund staan wachten.

Op de vierde verdieping van de flat ertegenover staat een vrouw naar hem te kijken. Als ze ziet dat hij terugkijkt verdwijnt ze, maar even later staat ze achter een ander raam te bellen. Het begint te waaien en kort daarop begint het te regenen. Alleen als hij vlak langs de deuren loopt, blijft hij droog. Nog een keer probeert hij 149 te vinden, maar de deuren willen niet open, zelfs niet als hij er wat harder tegen duwt. Olaf is nu bijna drie kwartier weg en Philip verveelt zich. Hij gaat het portaal binnen, pakt een folder en gaat ermee op de trap zitten.

Hij heeft nog maar een paar bladzijden bekeken als Olaf op de ruit klopt. Hij ziet er tevreden uit.

'Het is gelukt hoor. Hier, ik heb een ijsje voor je meegenomen.'

Onderweg naar boven likken ze aan hun lekkende chocolade-ijsje.

'Waar ben je geweest?'

'Bij de buurtagent. Een vrouw had mij gezien en die had gebeld. Ze zei dat ik een schuurtje had opengebroken en een scooter had gepikt.'

'Heb je dat gedaan?'

'Nee, natuurlijk niet. Ik was gewoon de sleutel vergeten. En ik mocht die scooter lenen. Maar daar gaat het niet om. Ik moest vandaag naar die buurtagent, zit ik met hem aan tafel, belt die vrouw weer dat ik verdacht bij de boxen rondhang.' Olaf grijnst tevreden.

'Ik snap het niet.'

'Die buurtagent ook niet. Die zegt: "Dat lijkt me sterk mevrouw, want hij zit hier tegenover mij." Die vrouw kwaad, ik hoorde het aan de andere kant van de tafel. Zegt die agent dat een valse beschuldiging ook strafbaar is. Ik kon mijn lachen bijna niet inhouden. Ik mocht meteen naar huis.

'Die vrouw aan de overkant. Ik zag dat ze belde.' Philip moet erom lachen maar niet heel erg. Hij had het leuker gevonden als hij had geweten dat hij die middag de hoofdrol had. De lift staat met een schok stil.

Hij stapt na Olaf de lift uit en volgt hem over de galerij naar de voordeur van hun flat. Aan de buitenkant lijken ze op elkaar maar Olaf is zo anders. Wild. Het stelt hem op een of andere manier gerust: helemaal hetzelfde zou pas echt verwarrend zijn.

Ze kijken tv, drinken cola en lezen strips. Later spelen ze een spel op de computer van Olaf.

'Je moet weg.'

'Nu?'

'Ja, mijn moeder komt zo. Ik wil niet... Ik wil het eerst alleen met haar bespreken.'

'Oké. Even naar de wc nog.'

'Kan je dat thuis niet doen?'

'Dat haal ik niet.'

'Nou, schiet op dan.'

Als Philip op de wc is, gaat de voordeur open.

'_____ ik ben thuis hoor.'

_____ ar de keuken gaan, iets

_____ de wc-deur open. De moeder _____ keuken ruimt de boodschappen op. Als _____ buk om twee pakken melk in de koelkast te zetten, sluipt Philip de gang in.

'Olaf, je bent toch wel bij die agent geweest hè?' roept de moeder van Olaf.

'Mm mm.' Snel glipt Philip de kamer van Olaf in. Olaf zit achter de computer en grijnst.

'Ze komt nooit op mijn kamer,' fluistert hij.

41

'We hebben toch niks te verbergen?'

'Je snapt het nog steeds niet. Niemand weet dat er twee van ons zijn, daar moeten we gebruik van maken. Jij bent mijn alibi en ik het jouwe. Ik ga dat niet zomaar weggeven.'

'Olaf? Kom je nou nog?' klinkt het vanuit de keuken.

'Ik kom!' roept hij en dan tegen Philip: 'Ik moet helpen.' Olaf doet de kamerdeur open. Philip kijkt over de schouder van Olaf de gang in. De keukendeur is dicht. Achter het glas is de rug van de moeder van Olaf aan de keukentafel nog net te zien.

Olaf gebaart naar Philip dat hij achter hem aan moet komen. 'Ik kom al,' zegt Olaf. Hij pakt de klink van de keukendeur en tegelijk die van de voordeur. In één beweging doet hij beide deuren open. Philip glipt achter Olaf langs naar buiten. Als Olaf de keukendeur achter zich dichtdoet, sluit Philip voorzichtig de voordeur en sluipt naar de lift.

De lift komt niet of het lampje waaraan je ziet dat hij eraan komt, is kapot. Philip wacht, duwt nog een keer op de knop maar als er niks gebeurt, gaat hij met de trap. Elf verdiepingen, tweeëntwintig trappen. Twee verdiepingen lager kijkt hij door de deur naar buiten en ziet het meisje uit de metro. Ze zit op haar hurken en aait een rode kat. Ze voelt dat ze bekeken wordt en kijkt op. Philip is ~~te laat~~. Hij draait snel zijn gezicht weg en haast zich de trap af.

Als hij naar buiten stapt, voelt hij op zijn beurt dat er iemand naar hem kijkt. Ze staat over de reling gebogen en kijkt hem na. Naast haar heeft de kat zijn kop tussen de spijlen van het hek door gestoken. Philip steekt zo snel hij kan zonder te rennen de straat over naar de ingang van de metro. Hij voelt haar blik in zijn rug, hij voelt zich betrapt.

Maarten

Hij heeft het thuis niet meer over Olaf gehad, hij houdt het nog even voor zich, maar het is een vreemd gevoel. Hij sluipt bij Olaf de deur uit alsof ze iets fouts gedaan hebben. Omdat Olaf er gebruik van wil maken. Ja, Olaf zou in zijn plaats naar mevrouw Klinker kunnen gaan. Of naar het schoolvoetbaltoernooi, hij voetbalt vast beter. Ze zouden met een truc de bosloop van school kunnen winnen: allebei een helft en halverwege stiekem wisselen. Als hij erover nadenkt, kan hij vast nog wel wat bedenken. Maar het interesseert hem niet. Hij wil weten hoe het kan dat ze zo hetzelfde zijn maar het lijkt alsof hij van Olaf geen hulp gaat krijgen om erachter te komen. Eigenlijk zou hij het toch met Anne en Maarten moeten bespreken.

Het is stil in huis. Philip haalt de boeken uit zijn tas en legt ze op de verwarming. Ze zijn nog steeds klam. Vanmorgen gaf Vincent hem een duw, hij struikelde en viel over het uitgestoken been van Bram op zijn rugzak, op zijn drinkbeker. Alle boeken waren nat, plakten van het appelsap. De uitnodiging voor het feestje van Casper is nog droog. Hij legt hem bij de andere post op tafel.

Anne is vroeg. Ze zet haar tas op tafel en pakt de enveloppen. 'Wat is dat?'
  'Een uitnodiging.'
  'Wat leuk. Iemand in je klas?'
  'Casper, hij heeft iedereen uitgenodigd.'
  'Hartstikke leuk toch. Wanneer is het?'
  'Volgende week, als jullie weg zijn.'

43

'Leuk. Wat is er met je boeken gebeurd?'

'Ik ben gevallen.'

'Hè, vervelend. Heeft Maarten je al gebeld? Oma heeft een onderzoek gehad. De dokter was erg tevreden. Als het zo blijft mag ze volgende week al naar huis.'

'Naar een bejaardenhuis.'

'Nee, nee. Maarten heeft een hele goeie oplossing. Ik denk dat jij dat ook vindt.'

'Wat dan?'

'Nou, Maarten heeft het bedacht, misschien wil hij het liever zelf...'

'Oké, ik wacht wel tot hij er is. Wil je thee?' Hij wil het toch met haar over Olaf hebben en met thee heeft hij haar aandacht.

'Wat wil je bespreken?'

Ze kent hem te goed. Hij vult de ketel. 'Ben ik een tweeling?'

'Hoe bedoel je? Nee, een kreeft.'

'Dat bedoel ik niet. Ik ben iemand tegengekomen die er precies zo uitziet als ik. Als een tweelingbroer.'

Anne gaat langzaam zitten en kijkt Philip strak aan. Ze zegt niets.

'Even lang, hetzelfde soort haar, dezelfde tanden, alles.'

'Ik snap het niet. Je bent iemand tegengekomen?'

'Ik heb hem gezien en met hem gepraat. Olaf heet hij. Zijn we een tweeling?'

Anne lacht. 'Dat zou ik toch moeten weten. Nee. Je bent een eenling.'

'Misschien ben ik verwisseld. In het ziekenhuis of zo.'

'Nee. Dat kan niet. Je was altijd bij me, in een wiegje naast mijn bed. En alle baby's krijgen een polsbandje om met hun naam. Ik heb dat bandje zelfs nog ergens. Nee, je bent niet verwisseld. Anders leek je ook niet zoveel op je va-

44

der en op mij. Laat die jongen een keer langskomen. Ik ben benieuwd.'

Nu komt Maarten binnen. Hij is chagrijnig want hij maakt zich druk over de dingen die hij nog moet doen voor ze weggaan. Als hij de kamer binnenkomt geeft hij Anne een kus en tegelijk gaan zijn ogen de kamer rond.

'Philip heeft een dubbelganger.' Anne zegt het alsof het leuk is, zoiets als de hoofdrol in het schooltoneelstuk.

'Goed zo.' Maarten kijkt naar de post op tafel, de uitnodiging. 'Ben je nog bij mevrouw Klinker geweest?'

Philip zegt niks.

'Wat is dat?'

'Een uitnodiging.'

'Nee, die boeken.'

'Nat.'

'Ja, dat zie ik. Hoe komt dat?'

'Iemand thee?' Anne staat op van tafel en loopt naar de keuken om het theewater in te schenken.

Maarten schudt zijn hoofd. 'En waarom ben je niet naar Daphne gegaan?'

'Maarten, kunnen we het daar een andere keer over hebben? Vertel liever over je moeder.'

Maarten doet zijn jasje uit en hangt het over de leuning van zijn stoel. Hij gaat zitten en wrijft met twee handen in zijn gezicht. 'Oma mag waarschijnlijk volgende week al naar huis. Het gaat heel goed met haar, veel beter dan de dokter had verwacht. Maar ze kan nog niet voor zichzelf zorgen en wij gaan weg. Nou hoorde ik van een collega over een verpleegster aan huis en dat leek ons een goede oplossing. Oma kan dan naar haar eigen huis en ze krijgt de hulp die ze nodig heeft.'

Het is een goede oplossing, dat is waar, maar hij wil niet

meteen enthousiast doen. 'En ik ga naar tante Inge?' Het klinkt als: en ik moet naar tante Inge.

'Nou,' Anne kan zich niet inhouden, 'we hebben met Hedwig, de verpleegster, en oma overlegd en ze vinden het allebei leuk als je komt logeren.'

Maarten gaat nog even aan het werk. Sinds hij een paar maanden eerder partner is geworden van het accountants-kantoor, werkt hij echt iedere avond. Misschien vindt hij het leuker dan lezen of nietsdoen. Philip leest een tijdschrift, Anne zit op de bank en hij voelt dat ze hem zit te bekijken.

'Weet je dat ik, voor ik naar het ziekenhuis ging om te bevallen, er wel eens van gedroomd heb dat ik de verkeerde baby mee naar huis zou krijgen? Dat een verpleegster je zou verwisselen als ik lag te slapen. Toen je geboren was, heb ik je van top tot teen bekeken. Ik wilde je helemaal ken-nen, ieder stukje. Zodat ik je altijd zou herkennen. Maar die polsbandjes kunnen helemaal niet los, die moet je door-knippen.' Ze lacht naar hem. 'Ik ben wel benieuwd. Zullen we een afspraak maken met die Olaf? Ik weet alleen niet of het voor onze vakantie nog lukt.'

Het maakt niet heel veel uit. Eigenlijk is hij al een beetje gerustgesteld door hun reactie. Niet dat hij nu weet hoe het zit, maar het was anders geweest als ze geschrokken waren. Als ze iets voor hem geheimhouden, spelen ze erg goed to-neel.

Fashionable

Iemand heeft het zadel van zijn fiets gejat. Het moet Vincent geweest zijn. Leuke grap, nu kan hij helemaal naar huis lopen. Hij probeert nog een stukje te fietsen, staand op de trappers en zittend op het achterrekje, maar hij gaat liever lopen. Als hij ongeveer halverwege is, gaat zijn telefoon. Het is Olaf.

'Hé broer, wat te doen vanmiddag?'

'Nee, niets speciaals.'

'Wat heb je aan?'

'Hoe bedoel je?'

'Kleren.'

'Ja, kleren.'

'Wát voor kleren, slimme.'

'Spijkerbroek, T-shirt.'

'Kleur?'

'Donkerblauwe spijkerbroek, zwart T-shirt.'

'Schoenen?'

'Witte, Adidas.'

'Kan je over een uurtje bij het Malthusplein zijn?'

'Ik moet nog langs de fietsenmaker, maar ik denk het wel.'

'Zie ik je daar. Vier uur.'

De fietsenmaker kan het nieuwe zadel er niet meteen op zetten en daarom neemt Philip de tram naar het Malthusplein. Olaf staat hem al op te wachten. Spijkerbroek, witte gympen, de veters los, een jack. Hij heeft een capuchon op.

'Wat gaan we doen?'

'Leg ik je zo uit. Stap op.'

Onder de snelbinders zit een plastic zak waar Philip op gaat zitten. Het helpt, maar niet veel, het rekje is nog steeds erg hard.

'Olaf? Ik heb het er met mijn ouders over gehad. Ze weten van niks.'

'Of ze doen alsof.'

'Dat geloof ik niet.'

Olaf zegt niks.

'Heb jij het nog aan je moeder gevraagd?'

'Nee, sorry. Ik had even wat anders. Morgen ga ik er achteraan. Beloofd.'

Philip krijgt kramp in zijn benen. Af en toe raken de neuzen van zijn schoenen de straat.

'Is het nog ver?'

'Nee, we zijn er bijna.'

De straten komen Philip vaag bekend voor, soms herkent hij een winkel of een gebouw. Bij de boekhandel op de hoek, met bankjes voor de etalage, kocht hij met Maarten ooit een fotoboek. En ook het restaurant met het torentje en het plein met de fontein herkent hij. Ze rijden door een brede winkelstraat. Halverwege slaat Olaf af en stopt in een smal steegje.

'Zo. We zijn er.' Hij zet de fiets tegen de muur.

'En nu?'

'Hij doet zijn jack uit, eronder draagt hij een zwart shirt. Hij kijkt Philip aan, haalt een hand door zijn haar en stopt zijn jack in de tas. 'Hier, mag jij vasthouden.'

'En dan?'

'Ik moet daarbinnen zijn. Als je hier even wacht, ik ben zo klaar.'

'Goh, leuk joh.'

'Niet zeuren, ik ben zo terug en dan heb ik een verrassing.'

Olaf loopt het steegje uit en slaat rechts af, Philip volgt. In de winkelstraat staat een boom met een metalen rek eromheen. Philip loopt ernaartoe en gaat bij het hek staan. Olaf is verdwenen.

Het is een dure winkelstraat, dat kan je aan de winkels zien, en aan de auto's die geparkeerd staan. Twee duiven lopen zigzaggend over de stoep. Een open sportwagen komt stapvoets voorbij, op zoek naar een parkeerplaats. Aan het stuur een blonde vrouw met een enorme zonnebril. Al meer dan vijf minuten wacht Philip en hij wordt steeds ongeduldiger. Waar blijft Olaf?

Daar is hij, in de kledingwinkel een stukje verderop. Hij loopt naar de uitgang en knipoogt naar Philip. Als hij tussen de beveiligingspoortjes door naar buiten stapt, begint het alarm te loeien. De duiven vliegen klepperend op. Olaf loopt rustig door in de richting van Philip maar schiet dan snel het steegje in waar de fiets staat. Philip is te verbaasd om iets te doen. Een man en een meisje komen de winkel uit. De man kijkt rond en ziet Philip.

'Hé, jij!' In een paar stappen zijn ze bij hem. Ze pakken hem vast en trekken hem mee naar de winkel.

'Ik heb niks gedaan!'

'Dan vind je het vast niet erg dat we even in je tas kijken?' De man heeft de plastic tas op de toonbank gegooid, het meisje kijkt erin. Een mevrouw die in de winkel kleren aan het bekijken is, kijkt hem vuil aan.

Het jack komt eruit, en een bibliotheekboek.

'Verder niks?' vraagt de man aan het meisje.

'Nee. Een jack en een boek.' Ze loopt met het jack naar de poortjes. De jas piept niet. Als ze het boek tussen de poortjes houdt gaat het alarm af. 'Het was het boek,' zegt ze.

De man is plotseling een stuk vriendelijker. Hij laat Philip

49

direct los. 'Sorry, misverstand.'

Philip weet niet wat hij moet zeggen. Hij pakt de tas, stopt het jack en het boek er weer in en loopt de winkel uit.

'Wil je een lolly?' roept het meisje hem na.

Philip is woest.

'Philip!' Olaf staat naast zijn fiets in het steegje. Philip slingert de plastic tas naar hem toe en loopt verder.

'Hé, wat is er nou. Het ging toch goed!' Olaf komt met de fiets naast hem rijden. 'Hé!'

'Donder op.'

'Wat?'

'Wat denk je!'

Olaf lacht en haalt een T-shirt uit de tas. 'Een voor jou, een voor mij.'

'Je hebt echt dingen gejat!'

Olaf haalt zijn schouders op. 'Welke wil je?'

'Ik wil er helemaal geen.'

'Ook goed, hou ik ze. Hé, waar ga je heen?'

'Naar huis.'

'Weet je de weg dan?'

Philip staat stil. 'Vertel het me.'

'Je moet je niet zo aanstellen. Er is niks gebeurd.'

'Jij hebt gestolen en ik heb meegedaan.'

'Ja, je mag er een hebben.'

'Ik wil die troep niet.'

'Nee, want pappie en mammie kopen wel wat beters voor je. Die spijkerbroek van jou kost evenveel als alle kleren die ik in een halfjaar koop. Met mijn schoenen erbij. Jij hebt makkelijk praten.'

'Kan ik er wat aan doen dat jij geen geld hebt? Je hoeft mij er toch niet... Je hebt niet eens gevraagd of ik mee wilde doen.'

'Omdat je een amateur bent. Dan was het fout gegaan. Maar als je dat liever hebt, dan vraag ik het de volgende keer.'

'Ik doe niet mee.'

'Dan niet. Als je hier rechtdoor gaat, tot het kruispunt en dan rechts, dan zie je een stukje verderop de metro.' Olaf stapt op zijn fiets en gaat ervandoor. Philip kijkt hem niet na, expres niet.

Hedwig

Het is opvallend gewoon: oma in haar eigen woonkamer. In het lage stoeltje, met haar voeten gekruist en haar armen over elkaar. Hoe ze losse haren van haar vest plukt, hoe ze langs de planten in de vensterbank loopt en dode blaadjes en uitgebloeide bloemen verzamelt. Alleen Hedwig maakt het anders. Maar niet heel anders. Hedwig loopt door het huis alsof ze er al jaren over de vloer komt. Ze noemt oma Pauline en ze praten over hoeveel water een cyclaam nodig heeft en welke bijvoeding het beste is voor de orchidee. Ze zegt dat ze het leuk vindt dat Philip komt logeren en hij gelooft haar.

Philip drinkt zijn sinaasappelsap en luistert naar oma en Hedwig. Oma klaagt een beetje. Ze heeft het over ouder worden. Dat ze het moeilijk vindt omdat ze steeds iets kwijt-raakt. Langzaamaan worden allemaal dingen die gewoon waren, waar ze niet eens bij na hoefde te denken, haar af-genomen. Ze heeft een bril nodig om een boek te lezen, ze hoort dingen slecht, ze kan niet even een stukje lopen zon-der moe te worden, traplopen is zwaar. Fietsen, schaatsen, dansen, het gaat niet meer. En nu raakt ze zelfs herinnerin-gen kwijt.

Hedwig knikt bedachtzaam maar zegt niets. Maarten zou meteen beginnen over de dingen die oma nog wel heeft. Dat er nog genoeg is waar ze tevreden mee kan zijn. Philip is blij dat Hedwig dat niet zegt. Oud worden klinkt niet als een lolletje en oma heeft gelijk: wat je afgenomen wordt, mis je het meest. Het lijkt een beetje op verhuizen. Verhuizen van een huis naar een flat, van een mooie buurt naar een slechte.

Als oma even later gaat rusten, spreekt Philip met Hedwig af wanneer hij zijn spullen komt brengen en vraagt Hedwig of er iets is wat hij niet lust. Geen bloemkool en geen nasi de komende weken.

Anne zit aan de keukentafel en kijkt op uit de krant als hij thuiskomt.

'Heb je nog gevraagd wanneer die jongen, hoe heet hij eigenlijk, wanneer hij langs kan komen?'

'Hij heet Olaf en hij komt niet omdat ik het niet ga vragen.' Olaf heeft twee keer gebeld, maar niks ingesproken. Philip gaat hem niet terugbellen.

'O.'

Anne laat het erbij en Philip begint er uit zichzelf ook niet meer over.

Philip heeft nog tot zaterdag om zijn spullen in te pakken, maar hij begint er nu alvast mee. Kleren, boeken, computerspelletjes. Het hoeft niet heel precies, want als hij wat vergeet, kan hij altijd even terug om het te halen. Hij zet zijn computer aan. Sjoerd is online maar hij heeft hem niet veel te zeggen. Thomas heeft een berichtje achtergelaten. Op Thomas' pagina staan nieuwe foto's. Ze lijken precies op de eerdere, maar nu zonder Philip. Hij leest de krabbels, er is niet veel veranderd.

In het begin chatte hij iedere dag met Sjoerd, Thomas en Mario, maar na een paar maanden werd het minder. Het is anders als je elkaar niet meer in het echt ziet. Soms belt hij ze nog. *Je moet snel langskomen. Ja doe ik.* Er staat nog niemand van zijn nieuwe school in zijn contactenlijstje, de enige nieuwe telefoonnummers zijn van school en van Olaf.

Wat betekent het eigenlijk als je kamer eruitziet als een

53

hotelkamer? denkt Philip. En zou dat paard op de foto van Olaf zijn?

Olaf belt, de derde keer vandaag. Philip twijfelt maar neemt dan op.

'Hé Philip. Hoe is het?'

'Oké.'

'Ik moet je wat zeggen. Ik heb erover nagedacht en ik had dat niet moeten doen, met die shirts. Ik dacht dat je het wel doorhad maar ik had het je moeten vragen, van tevoren. Sorry. Ik hoop dat je niet boos blijft.'

'Je had het moeten vragen.'

'Dat zeg ik. Maar ik had er goed over nagedacht. Je liep echt geen risico. Je had niks verkeerd gedaan.'

'Dat maakt niet uit. Je moet het gewoon vragen.'

'Doe ik, beloofd.'

Ze praten nog even over school en de vakantie die eraan komt. Philip vertelt over oma en kort over Vincent. Ze spreken niets af.

Vincent

'Hoe vind je het nou op deze school? Ben je al een beetje gewend?'

Philip veegt de aantekeningen van het bord. 'Ja hoor.'

'Mooi.' Meneer Mulder rangschikt de papieren op zijn tafel.

Als Philip aan het linkerbord begint en even naar buiten kijkt, ziet hij beneden op het plein drie jongens naar de achteruitgang lopen. Vincent, Bram en Bas. Eikels. Ze lachen, dat kan je zien zonder het te horen. Vincent loopt in het midden, een halve stap vooruit, links Bram en rechts Bas. Voorbij het hek staat een jongen. Van schrik laat Philip bijna de bordenwisser vallen, het is Olaf!

'Philip? Ik ga ervandoor. Doe je het licht uit als je weggaat?'

'Doe ik.'

'Fijne middag.'

'Dag.'

Meneer Mulder gaat de klas uit. Philip wacht tot hij weg is en loopt dan naar het raam. Olaf heeft een pet op. Hij leunt tegen zijn fiets. De achteruitgang van het plein is rustig. Als er kinderen langslopen, kijkt hij naar de grond zodat de klep van zijn pet zijn gezicht verbergt.

Vincent is nu bijna bij het hek. Bas tikt hem aan en wijst naar Olaf. Vincent draait zich naar Bram en Bas en roept naar Olaf. Olaf reageert niet. Ze lopen door het hek en Vincent gaat vlak voor Olaf staan, maar Olaf kijkt hem niet aan. Vincent kijkt om, zegt iets tegen Bram. Bram lacht. Vincent draait zich om en duwt Olaf waardoor die zijn evenwicht verliest en met zijn fiets achterover tegen het hek valt. Lachend doet Vincent alsof hij zijn handen schoonveegt; klus geklaard. Hij let niet op Olaf die overeind komt.

Olaf roept, Vincent draait zich om. Olaf rent op hem af, springt op en beukt met een opgetrokken knie tegen Vincent aan. Vincent klapt dubbel, zijn handen in zijn maag waar Olaf hem geraakt heeft. Nu Vincent voorovergebogen staat ramt Olaf zijn knie omhoog, in het gezicht van Vincent, die als een zak zand achterovervalt. In één beweging laat Olaf zich op Vincents borst zakken, een knie aan iedere kant. Hij heeft iets uit zijn zak gepakt. Het spiegelt in het licht. Een mes! Hij houdt het voor het gezicht van Vincent. Bram en Bas deinzen achteruit. Vincents gezicht zit onder het bloed. Als Olaf overeind komt, kruipt Vincent achteruit en staat op, een hand onder zijn neus. Olaf roept nog wat naar de afdruipende jongens, dan zet hij zijn fiets overeind en pakt zijn telefoon.

In zijn tas begint de telefoon te zoemen. Philip pakt hem en loopt terug naar het raam.

'Hé, waar ben je?' Olaf hijgt.

'Ik zag wat je deed.'

'Hè?'

'De school, eerste verdieping.' Philip steekt een hand op en zwaait. Olaf kijkt om, ziet Philip en steekt een hand op.

'Dat was Vincent die je pakte, je weet wel.'

'Een watje. En hij begon.'

'Was dat een mes?'

'Ze waren met zijn drieën. Ze dachten dat ik jou was.'

'Morgen vermoorden ze me.'

'Die? Die zijn nu schijtbang voor je. Daar heb je geen last meer van. En anders kom ik gewoon een keer terug. Neem ik wat vrienden mee.'

56

'Wat kom je hier doen?'

'Leuk dat je er bent Olaf, aardig dat je dat klusje even voor me opgeknapt hebt.'

'Sorry, ik kom eraan.'

'Die klootzak heeft op mijn shirt gebloed. Net nieuw.'

'Had je ook tijdens de les gebeld?'

'Ja, ik wist niet welke uitgang je zou nemen. Heb je wat te doen nu?'

'Ik moet om zes uur thuis zijn.'

'Mooi, tijd zat.'

'Waar gaan we heen?'

Olaf loopt naar een scooter en klapt het zadel omhoog. 'Verrassing. Hier, ik heb zelfs een helm voor je meegenomen.'

'Je bent nog helemaal geen zestien.'

'Dus?'

'Die scooter.'

'Is niet van mij, heb ik geleend. Kom, stap op.'

Even twijfelt Philip, hij heeft nog nooit op een scooter gezeten. Toch pakt hij de helm aan en doet hem op. Hij gaat achterop zitten en valt er bijna weer vanaf als Olaf optrekt. Nu moet hij Olaf wel vastpakken.

Olaf kent overal de weg. Ze scheuren door de stad, door rode stoplichten, over fietspaden en stoepen. Over grote wegen, door kleine straatjes en smalle steegjes. Ze rijden tot voorbij de rand van de stad. De straten worden stiller, de huizen groter. Villa's met oprijlanen, hoge bomen en heggen, hier en daar een zwembad, soms zelfs een tennisbaan. Ze slaan af, een fietspad langs een ruiterpad. Een stukje verder zet Olaf de scooter neer.

'Zo, we zijn er.' Hij klapt het zadel omhoog en haalt een tas uit de bergruimte eronder.

'Is het hier?'

Olaf haalt een sleutelbos uit zijn jas. 'Daar.'

Tussen de struiken langs het pad is een doorgang naar een hek. Philip volgt Olaf. Voor hij de sleutel in het slot steekt fluit Olaf een keer, alsof hij een hond roept, maar er komt niets. Dan doet hij het hek open.

Achter hoge struiken is nog net een huis te zien. Het is reusachtig. Philip volgt Olaf over een paadje tussen twee hoge heggen. Aan het einde ervan ligt een zwembad.

'Wie woont hier?'

'Dit was mijn huis.'

'En nu, wie woont er nu?'

'Weet ik veel. Ik heb een sleutel. Hier.' Olaf haalt twee zwembroeken en een handdoek uit de tas. 'Niet te lang wachten, ze komen om vijf uur thuis.'

Philip wil wat zeggen, slikt zijn bezwaren in en lacht. Dan kleedt hij zich zo snel hij kan uit. Olaf ligt er al in.

Ze zwemmen en luieren op de ligstoelen. Olaf kan onder water heen en terug en hij kan een salto van de kant, maar Philip maakt het beste bommetje.

Philip kijkt naar hem, hij bestudeert hem zoals hij zichzelf zou bekijken in een spiegel en het is verwarrend hoeveel hij op hem lijkt. Hoe hij hem ís. En dan ziet hij de moedervlek. Rechts naast de navel van Olaf. Die heeft hij niet. Dat een klein plekje je zo'n goed gevoel kan geven.

'Sst!'

Ergens verderop gaat een elektrisch hek open. Een auto trekt op, het hek gaat weer dicht.

'Shit! Daar zijn ze al!' In een tel is Olaf het bad uit, Philip volgt. Ze graaien hun kleren bij elkaar.

'De handdoek!'

Zo stil ze kunnen sluipen ze achter elkaar tussen de heggen door. Aan het einde van het paadje kijkt Olaf even of de kust veilig is, hij deinst achteruit.

'Wat?' fluistert Philip.

'De hond! Rennen!'

Ze sprinten achter elkaar naar het hek, Olaf rukt het open, tegelijk dringen ze naar buiten. Dicht. De nagels van de dobermann krassen over de tegels als hij de bocht om komt zeilen. Hij springt met een klap tegen het gaashek.

'Rothond!'

'Hij blaft helemaal niet!'

'Dat kan hij niet, ze hebben iets met zijn stembanden gedaan.'

Aan de andere kant van het hek kijkt de dobermann ze met opgetrokken lip aan. Olaf doet hem na. Erg leuk is het niet maar Philip moet erom lachen en dan moet Olaf ook lachen. Ze drogen zich af en kleden zich aan.

'Hé Phiel. Heb jij mijn tas?'

'Nee, hoezo?'

Olaf vloekt en schopt tegen het voorwiel van de scooter.

'Is het een dure tas?'

'Mijn telefoon zit erin.'

De dobermann staat nog steeds bij het hek. Als hij Philip ziet aankomen trekt hij zijn lip weer op. Philip kijkt rond en pakt een tak. Hij steekt hem langzaam door het gaas en houdt hem plagerig voor de hond. In een flits springt de dobermann naar voren en hapt naar de stok maar Philip heeft hem al teruggetrokken. Hij doet een stapje opzij en steekt hem weer door het hek. De dobermann volgt, hapt en mist. Zo loopt Philip langs het hek, steeds verder van de ingang. Als hij bijna bij de weg aangekomen is, hoort hij Olaf roepen:

'Je kan terugkomen hoor!'

Met een zwaai gooit Philip de stok over het hek. De dobermann pakt de stok in zijn bek en breekt hem. Als Philip terug begint te rennen, volgt hij hem aan de andere kant van het hek.

'Gelukt.' Olaf houdt de tas omhoog.

Als ze wegrijden, staat de hond ze nog na te kijken. Philip steekt zijn hand op en zwaait.

Hawaï

Olaf had gelijk: Vincent en zijn vrienden smoezen over hem, maar komen niet meer in zijn buurt. Jammer voor de fietsenmaker, goed voor hem. Ze hebben het er wel met anderen over gehad, hij kan het zien aan de manier waarop sommige kinderen wegkijken of hem juist nakijken als hij langsloopt. Het maakt niet uit, ze laten hem met rust en dat telt. Het is trouwens bijna vakantie.

Anne heeft de koffers al ingepakt. Ze staan met de deksels open in de slaapkamer. Af en toe haalt Anne er iets uit of stopt ze er iets in. Het badpak, dat ze speciaal voor Hawaï heeft gekocht, is er weer uit: toen ze het voor de grote spiegel in de slaapkamer paste, vond ze het toch te bloot.

Philip voelt zich buitengesloten. Hij ziet Anne en Maarten naar elkaar lachen. De stomme grapjes waar ze veel te hard om moeten lachen ('Aloha Anne!'). Waarom kan hij niet mee, Maarten is nu toch een van de bazen hier? Hij kan die lui in Amerika toch gewoon zeggen dat hij alleen komt als zijn zoon ook mee mag? Een keer wilde hij nog over Olaf beginnen, maar toen hij Anne met een bloem achter haar oor uit de slaapkamer zag komen, slikte hij het in. Ze hebben het te druk met zichzelf om ook met hem bezig te zijn, of met Olaf. Anne heeft niet meer naar hem gevraagd en hij is er zelf niet meer over begonnen. Hij praat er pas weer over als ze tijd voor hem hebben.

Zondagmorgen brengen Anne en Maarten Philip met zijn kleren, zijn boeken en de computer naar oma. Ze drinken koffie, Hedwig heeft een cake gebakken. Anne treuzelt ('ik mis je nu al') maar Maarten kan niet blijven zitten. Hij kijkt op de klok van oma, op zijn horloge, naar de klok op zijn telefoon en roept om de vijf minuten dat ze moeten gaan. Philip loopt met ze mee naar beneden en zwaait ze uit. Als hij vanaf de straat naar boven kijkt, ziet hij oma achter de planten in de vensterbank staan. Wat is ze eigenlijk klein. Ze lacht en zwaait ook even naar hem.

Hedwig is aardig maar wel streng. Geen boterhammen tussendoor en geen fris voor vijf uur. Philip kijkt met oma in de atlas waar Anne en Maarten naartoe gaan, ze praten wat tot Hedwig zegt dat oma moet rusten. Hedwig gaat strijken, in de kamer tikt de klok. Hij pakt zijn tas uit en legt de kleren in de kast op de logeerkamer en stapelt de boeken op het tafeltje naast zijn bed. Hij pakt het bovenste boek en slaat het open en leest, maar de woorden worden letters, worden vreemde tekens. De punt aan het einde van de zin de moedervlek van Olaf. We zijn niet hetzelfde, denkt Philip. Zelfs niet van de buitenkant. Hij ziet hem weer staan met zijn wilde ogen, net nadat hij Vincent te pakken heeft genomen. We zijn helemaal niet hetzelfde. Maar hoe is het mogelijk dat ze zo op elkaar lijken? Wie kan ze vertellen hoe dat kan? Hij moet het uitzoeken en Olaf moet hem helpen. Philip schrikt op van de telefoon. Het is Olaf.
    'Ha, met mij. Heb je het druk?'
    'Nee, nee. Mijn ouders zijn vanochtend vertrokken. Ik ben bij mijn oma. Ik zat net aan je te denken.'
    'Schattig. Zeg, ik heb een ideetje. Heb je zin om langs te komen?'

Een halfuur later staat Philip bij Olaf voor de deur.
    'Ha, daar ben je. Wil je wat drinken?' Olaf schenkt grote glazen cola in en Philip bladert door een stripboek dat op tafel ligt.

'Even lachen.' Olaf houdt zijn telefoon omhoog. Philip kijkt hem aan. De telefoon flitst. Olaf draait het toestel om en laat Philip zichzelf zien: Olaf met ander haar, betere kleren en een flauwe glimlach.

'Als aandenken.'

'Is dat paard op de foto op je kamer van jou?'

'Castor. Ja, maar die lul heeft hem verkocht toen hij wegging. Zomaar, alsof het een auto was.' Olaf staat op en zet zijn glas op het aanrecht. 'Moet je vandaag nog ergens heen?'

'Nee, niet speciaal. Terug naar mijn oma straks.'

'Mooi.'

De een-na-laatste deur is de garagebox van Olaf. Als hij hem openmaakt, golft de benzinedamp naar buiten. De tl-balk springt aan. Langs de achterwand staan tot het plafond verhuisdozen opgestapeld. Ervoor staan losse meubels: twee tuinstoelen, een trimtoestel en een oud bijzettafeltje dat te mooi is om in een box te staan. Langs de andere wanden zijn planken gemaakt die vol staan met kratten en losse rommel. De rest van de ruimte is gevuld met drie fietsen en een blauwe scooter. Olaf pakt twee helmen van de plank, geeft er een aan Philip en loopt naar de deur. Hij kijkt links en rechts, loopt terug naar de scooter en duwt hem naar buiten. Pas om de hoek start hij de motor.

'Stap op.'

'Waar gaan we heen?'

'Zie je zo wel.'

Ze rijden over een lange brede straat met flats aan beide kanten. Na de flats komen rijtjes huizen en daarna rijden ze een industrieterrein op met lage loodsen, kantoren en garagebedrijven. Aan het einde van de straat is een bouwmarkt met een groot, leeg parkeerterrein ervoor.

Olaf rijdt het terrein op en doet de motor uit. Als Philip afgestapt is, zet hij de scooter op de standaard.

'Welkom bij de eerste les scooterrijden voor beginners. Uw instructeur van vanmiddag: Ooooowwwlaf Steens!'

Philip schrikt ervan.

'Nou, wil je het of niet?'

Durft hij het? Ja. Hij knikt.

'Oké. Het is heel simpel. Dit is de startknop. En daarmee...?'

'Eh, start je de motor.'

'Heel goed. Deze heeft geen versnelling: gewoon twee handremmen, net als een fiets. Het handvat rechts is om gas te geven. Gewoon naar je toe draaien. Deze knop is motor uit. Richtingaanwijzer links en rechts en de toeter, maar die doet het niet. Dat daar is de kickstarter. Als hij niet elektrisch start, kan je hem daarmee aantrappen. Duidelijk?'

Philip knikt aarzelend.

'Mooi. Zitten.'

Philip gaat zitten, de scooter kantelt achterover op de standaard. Een klein stukje, maar Philip valt er bijna af.

Olaf doet alsof er niets gebeurd is. 'Voorwiel op de grond duwen, standaard tegenhouden, zo, en nu vooruitduwen.'

De standaard klapt in.

'Mooi. Starten maar.'

'Moet ik hierop drukken?'

Olaf zegt niks. Philip drukt de knop in en de motor start.

'Goed. Nu ga je heel langzaam gas geven. Zachtjes naar je toe draaien. Hou je voeten maar aan de grond.'

Philip draait aan het gas en de scooter springt vooruit. Snel draait hij het gas weer dicht.

'Gaat goed. Niet vergeten te sturen.'

Philip rijdt in een grote cirkel over het parkeerterrein. Als hij weer bij Olaf in de buurt is doet hij zijn voeten op de treeplank van de scooter.

'Mag wel wat harder. Probeer ook maar een keer te remmen.'

Nog een rondje, iets harder en met zijn voeten binnenboord. Hij remt en staat stil bij Olaf.

'En nu achtjes.'

Ook de achtjes gaan goed. Nog wat harder. Zijn ogen tranen ervan. Het voelt fantastisch. Hoe hard? Bijna veertig!

De cirkel is steeds groter geworden, hij rijdt nu langs het hek, voor de winkel langs en weer terug. Hij gaat iets te ver naar buiten, op de witte streep die de rand van het terrein aangeeft. Zijn achterwiel glijdt even weg en hij mist de bocht. Met een klap rijdt hij tegen het rolluik voor de ingang van de winkel aan. Philip schuift van zijn zadel maar valt niet. Als hij de scooter achteruitduwt, valt er een afgebroken stuk van het spatbord op de grond. Voorzichtig rijdt hij terug naar Olaf.

'Het spijt me.'

Olaf kijkt vluchtig naar de scooter. 'Maak je niet druk, het is maar plastic. Ging verder wel goed toch?' Hij zet de scooter op de standaard en pakt kauwgom uit zijn binnenzak. 'Jij ook een?' Zijn blik valt op iets achter de rug van Philip. 'Shit!'

Philip kijkt ook om en ziet het witte bestelwagentje. *Securit, beveiliging* staat er op de zijkant, een bewakingsdienst!

'Wat doen we?'

'Even wachten.' Olaf stapt op en start de motor.

Hij laat hem hier toch niet achter? 'Olaf?'

'Als ik *ja* zeg, spring je achterop. Oké?'

De auto is nu vlakbij. Hij stopt en de bestuurder doet de deur open en stapt uit.

'Nu!' zegt Olaf en Philip springt achterop en grijpt Olaf vast. Olaf geeft zoveel gas dat het voorwiel omhoogkomt. Hij maakt een wilde bocht om buiten het bereik van de graaiende arm van de man te blijven en dan scheuren ze het parkeerterrein af.

Achter ze is de man ingestapt en heeft de motor gestart. Hij komt achter hen aan. Ze slaan links af en bij de eerste hoek weer. De auto komt snel dichterbij. Een paar meter nog maar. Alsof hij ze wil aanrijden. Dan slaat Olaf plotseling rechts af. Een fietspad. Philip raakt met zijn knie bijna het rood-witte paaltje dat midden op het pad staat. Achter ze staat de auto met piepende banden stil. Iets verder stopt Olaf. Hij draait zich om en steekt zijn middelvinger omhoog. 'Sukkel!'

De man achter het stuur heeft een blocnoteje gepakt en schrijft er iets op.

'Hij heeft het nummer van je brommer!'

'Zou mij wat. Hij is toch niet van mij.' Olaf trekt zo onverwacht op dat Philip achterover van de scooter valt. Hij doet zich niet heel erg pijn maar hij schrikt wel. Olaf is een meter of tien verderop gestopt. Hij kijkt lachend achterom. Van de andere kant komt de bewakingsman naar Philip toe rennen. Philip krabbelt overeind en rent naar Olaf en springt achterop.

'Rijden!'

'Heb je me vast?'

'Rij nou maar!'

Olaf steekt zijn hand op naar de bewakingsman en rijdt pesterig langzaam weg.

Bij de voordeur van de flat van Olaf staat een grote bos rode rozen in een emmertje. Olaf pakt de bloemen, leest het kaartje. Dan gooit hij de bos met een zwaai over de

balustrade. Even is het stil en dan kletsen de rozen elf verdiepingen lager op het asfalt.

Philip kijkt Olaf verbaasd aan.

'Wat?' zegt Olaf. 'Verkeerd bezorgd.'

Even later zitten ze aan de keukentafel en eten chips en
drinken cola.

'Weet je, ik denk dat niemand het zou merken als we van
plaats zouden wisselen. Ik durf zelfs te wedden, dat ik een
dag bij je oma kan zijn zonder dat ze het merkt.'

Philip schudt zijn hoofd. Hij wil er niet om wedden en
niet alleen omdat hij bang is dat hij de weddenschap zou
verliezen.

'Ik moet naar huis. Hedwig eet vroeg.'

'Ik kan wel een keer langskomen.'

'Ja, dat kan je wel eens doen.'

'O ja, ik wilde je eigenlijk wat vragen.'

'Vraag maar.'

'Of je wat voor me wil doen. Niet stelen, niks strafbaars.
We hebben het er nog wel een keer over.'

'Oké.' Philip zegt het meer omdat hij het begrijpt, dan
dat hij er zin in heeft.

Olaf loopt met Philip mee tot de lift. Ze kijken elkaar aan
tot de deur ze losknipt.

Op de negende verdieping gaat de lift open. Het meisje
uit de metro. Ze kijkt hem aan, en hij voelt dat hij rood
wordt. Hij slikt. Ze gaat naast hem staan. De deur gaat
dicht. Philip kijkt voor zich uit maar voelt dat ze hem bekijkt. Acht, Zeven, Zes... Dan duwt ze op een knop en staat
de lift met een schok stil. Wat doet ze?

'Ga je nou helemaal niks zeggen?'

Hij kijkt haar aan. Ze is boos, ze is leuk, ze huilt bijna.
Hij kan haar niet aan blijven kijken. Er zit kauwgom op de
liftvloer.

67

'Ik dacht dat je mij ook leuk vond, je zei dat je me ook leuk vond.' Ze duwt op een knop en de lift komt stotterend in beweging. Een verdieping lager stopt hij. Vlak voor de deur opengaat pakt ze zijn hoofd en kust hem hard op zijn mond. Ze huilt. Dan glipt ze de lift uit. Hij is verlamd en kan pas weer ademhalen als de deur dicht is.

Hedwig is op haar kamer en leest een boek, oma en Philip zitten aan de keukentafel en spelen Scrabble. Philip kan zijn hoofd er niet bij houden, oma heeft ook wel erg veel tijd nodig. Haar lippen prevelen letters en met haar vinger schuift ze de steentjes op het plankje heen en weer.

'Ik kan niet,' zegt oma. Ze kijkt Philip met angstig opengesperde ogen aan. 'Ik denk dat ik moet gaan slapen.' Als ze uit haar stoel opstaat stoot ze tegen het bord. De letters verschuiven. Snel veegt Philip ze bij elkaar en stopt ze in het zakje. Vroeger zou hij trots geweest zijn om van oma te winnen.

'Ik zal Hedwig even roepen.'

Dat is niet nodig want Hedwig komt de keuken al binnenlopen.

'Pauline, vergeet je de pillen niet? En Philip, ga je ook slapen? Dan doe ik de lichten vast uit.'

Hij heeft vroeger vaak in het logeerbed gelegen maar toen kon hij nog slapen. Nu schieten zijn gedachten heen en weer van het meisje in de lift naar Olaf, naar het meisje, oma, de kus. Op Hawaï is het nog dag.

Sjoerd

Oma is 's ochtends nog steeds warrig en daarom belt Hedwig het ziekenhuis om een afspraak te maken. Philip zet thee. Als hij met het dienblad de slaapkamer in komt, huilt oma. Hedwig zit op de rand van het bed en praat zachtjes met haar. Als oma Philip ziet, veegt ze snel de tranen weg.

'Hallo jongen. Het is niks hoor. Ik heb gewoon een beetje slecht geslapen.'

Hedwig neemt het dienblad over en Philip gaat naast oma zitten.

'Hè, wat vervelend.' Oma snuit haar neus. 'Ik moet me niet zo laten gaan. Het is zo weer over.'

'Zal ik thee inschenken?' vraagt Philip.

'Straks misschien, dank je. Je bent een lieverd.'

'Pauline,' zegt Hedwig, 'blijf nog even liggen, dan roep ik je over een uurtje. Ik heb een afspraak gemaakt met de dokter om half twaalf.'

Oma knikt, met de tranen nog in haar ogen probeert ze te lachen. Dat ziet er best grappig uit.

Het is pas half tien en Philip heeft geen plannen. Hij kan niet altijd naar Olaf toe. Hij doet zijn computer aan. Alleen Sjoerd is online en hij is blij dat Philip er is. Hij vraagt of Philip zin heeft om langs te komen. Misschien verveelt Sjoerd zich ook. Hedwig vindt het een goed idee: Philip zou anders bijna de hele dag alleen thuis zijn.

Sinds de verhuizing zijn Philip en zijn ouders nog wel eens terug geweest naar hun oude dorp, maar hij is nooit alleen gegaan en nog niet eerder met de trein. Hij heeft een boek meegenomen voor onderweg, maar lezen lukt niet. Hij bladert door een krant die iemand heeft achtergelaten, hij kijkt naar buiten. Hoe verder je de binnenstad uit gaat, hoe lelijker het wordt. Eerst flats, later een file van lelijke kantoren, loodsen zonder ramen en af en toe, gelukkig, een weiland, iets groens. Ze razen voorbij dorpen, stations van plaatsen die te onbelangrijk zijn om voor te stoppen. Je zou er kunnen wonen, je zou er vrienden kunnen hebben. Iemand die je beste vriend zou zijn als je hem kende, kan een station verderop wonen en je komt hem nooit in je leven tegen. Tot je een keer de verkeerde trein neemt.

Sjoerd staat hem op te wachten bij het station. Zijn haar is langer, maar verder is hij nog hetzelfde.

'Hé Philip.'

'Hé Sjoerd.'

Philip stapt achter op de fiets bij Sjoerd en samen rijden ze naar zijn huis. Ze komen langs de tennisclub, door de winkelstraat. Het is nog precies zoals vroeger. Vreemd dat alles gewoon doorgaat, ook als je er niet bent.

De moeder van Sjoerd is een vriendin van Anne, ze vindt het leuk dat Philip er is. Ze vraagt van alles, Philip antwoordt en Sjoerd gaapt. Ze lezen stripboeken op de bank en spelen op de computer een schietspel van de broer van Sjoerd tot ze naar buiten gestuurd worden. Mario komt langs. Ze hangen wat rond op straat, trappen een balletje tot de buurman ze wegstuurt omdat ze zijn hek kapotmaken met de bal. Ze eten een boterham en kijken een dvd die ze allebei al eerder gezien hebben. Er is niks mis mee, maar juist daarom wordt hij er een beetje droevig van. In zijn gedachten was het leuker, hij dacht dat hij het miste.

Om vier uur brengt Sjoerd hem naar het station.

'Je kan ook een keer bij mij langskomen,' zegt Philip.

'Ja, doe ik. Volgende vakantie of zo. Neem ik Mario en Thomas mee.'

'Moet je doen.'

Sjoerd wacht niet op de trein. Hij fietst weg, probeert nonchalant een hand op te steken maar rijdt daardoor bijna tegen een lantarenpaal. Hij kijkt niet meer om, hij heeft vast een rood hoofd.

In de trein belt Philip Hedwig om te zeggen dat hij voor het eten terug is. Met oma gaat het goed, dat heeft de arts gezegd. Philip is moe. Hij gaat dwars in de stoel zitten, zijn hoofd naar het raam en doet zijn ogen dicht. Is hij veranderd? Een andere plek, een ander leven. Hoe was Olaf voor hij verhuisde?

Hij stapt uit op het treinstation en loopt naar de metro. In de hal komt hij langs een kiosk. Tussen alle schreeuwerige kaften is er een die zijn aandacht trekt. Een voetbalblad met een tweeling op de voorkant. Hij kent ze, ze zijn beroemd. Een eeneiige tweeling en allebei voetballer. Philip staat stil en bekijkt het blad en bestudeert de hoofden. En dan ziet hij het. De broer links heeft een moedervlek op zijn wang die de rechter broer niet heeft! Philip pakt het blad uit het rek en bekijkt de foto van heel dichtbij.

'Twee vijfenzeventig.'

Philip kijkt op, de man in de kiosk leunt op de toonbank en kijkt hem verveeld aan. Snel zet Philip het blad terug in het rek en loopt door.

Oma is blij dat hij terug is. Ze ziet er wel moe uit. Ze heeft nieuwe medicijnen gekregen, zodat ze beter kan slapen. Ze gaat voor het eten al naar bed, de nieuwe pillen testen waarschijnlijk. Philip eet met Hedwig die haar best doet om het gezellig te maken. Ze vraagt hem van alles en vertelt over haar kinderen. Ze heeft een zoon die dokter is en een dochter die in Australië woont. Over een man heeft ze het niet.

'Hoe was het bij je vrienden?'

'Leuk wel.'

Ze lacht alsof ze hem begrijpt. Hij is blij dat ze niet verder vraagt. Na het eten ruimt hij de tafel af, ruimt hij de afwasmachine in. Daarna doet hij de tv aan. Een quiz, een nieuwsprogramma, een ziekenhuisserie, iets wat bedoeld is om te lachen. Uit. Op zijn kamer speelt hij een spelletje op zijn computer. Hij is moe maar het is nog te vroeg om te gaan slapen. Dan belt Olaf.

'Hoe is het nou?'

'Wel goed. Ik was bij vrienden vandaag, bij mijn oude huis.'

'Leuk voor je. Ik zie mijn vrienden van vroeger nooit meer. Ze durven hier niet te komen. Noord hè. Mag niet van pappie en mammie. Zeg, heb je wat te doen morgen?'

'Nee, nog niet.'

'Kom ik je halen. Wat is het adres?'

'Lineausstraat 78-1. Michielse heet mijn oma.'

'Zie ik je morgen, een uur of drie. Dag Philip Michielse.'

'Tot morgen... O, Olaf?' Hij wil hem vertellen over de tweelingen en de moedervlek maar Olaf heeft al opgehangen.

Hedwig klopt op de deur en vraagt of hij nog een kop thee wil. Ze gaan aan de keukentafel zitten en sippen van de hete thee.

'Wat zei de dokter?'

'Dat heb ik toch al gezegd toen je vanmiddag belde?'

'Ja, maar toen was oma erbij. Misschien moest u dat zeggen van haar.'

Hedwig glimlacht. 'Je oma maakt zich af en toe wat te druk. Het is een moeilijke tijd voor haar. Ze moet rusten, zich niet te veel opwinden. Daarom heeft ze die nieuwe medicijnen. En dan komt het allemaal goed. Dat zei de dokter.'

'En wat kan ik doen?'

'Wat je al doet. Je oma en ik, we vinden het erg fijn dat je hier bent. Het is een beetje saai voor jou, maar dat is nu het beste voor je oma. Wil je er een koekje bij?'

'Nee dank u, ik ga slapen.'

Hij heeft net zijn tanden gepoetst als Hedwig hem roept.

'Philip? Telefoon. Het is voor jou.'

Het is Anne, ze klinkt dichtbij. 'Wat fijn je te horen, gaat het goed bij oma, vermaak je je wel, ik mis je wel hoor, de groeten van Maarten, ja het is hier prachtig, mooi hotel, weet je nog wie Pascal is, maakt niet uit, nee we gaan zo naar het strand, ik mis je wel hoor, 31 graden, veel plezier lieve Pip, o, we missen je wel hoor, nee, we bellen van de week nog wel, doe de groeten aan oma en Hedwig, slaap lekker voor zo, o nee, of toch. Nou dag.'

'Dag,' bromt Maarten op de achtergrond.

73

CineStar

'Hé Pip. Met mij.' Olaf zit op de fiets en je hoort dat hij hard trapt. 'Ik ben wat eerder. Zin om naar de film te gaan?'
'Oké.'
'Zorg dat je klaar bent, anders halen we het niet. Tot zo.'

Philip gaat buiten op de trap zitten om Olaf op te wachten. Even later komt hij aanrijden. Hij rost de fiets de stoep op en stopt slippend vlak voor de voeten van Philip. Olaf kijkt op zijn telefoon.
'Nog tweeëntwintig minuten.'
'Waarom doe je je veters niet vast?'
'Zit lekkerder zo.'
'Straks breek je je nek erover.'
Olaf knipoogt. 'Ik hou van gevaarlijk.'
Philip maakt zijn fiets los en dan gaan ze.
'Zullen we samen op een kaartje?' vraagt Olaf.
'Als je geen geld hebt, kan ik wel betalen,' antwoordt Philip.
'Dat is het niet. Ik wil kijken of het lukt.'
'Waarom? Straks pakken ze ons.'
'Niet als je doet wat ik zeg. Luister.'
Olaf heeft erover nagedacht. Het is niet moeilijk, maar Philip twijfelt. Het is spannend maar ook een beetje stom om het risico te nemen als je het kaartje best kan betalen.
'Jij hebt een kaartje, jou kunnen ze niets maken. En ik betaal de popcorn.'
Philip lacht. 'Oké. Dan doen we het.'

Het is al behoorlijk druk bij de bioscoop en ze moeten zoeken naar een plek waar ze hun fietsen neer kunnen zetten. Terwijl hij zijn fiets op slot zet, vertelt Philip Olaf over de tweeling op de kaft van het tijdschrift en de moedervlek. Het is moeilijk uit te leggen.

'Dus?'

'Jij hebt een moedervlek en die heb ik niet. Ik dacht dat eeneiige tweelingen helemaal hetzelfde waren. Dat we dus geen tweeling waren maar dat is niet zo.'

'O.'

'Dus kunnen we wél een eeneiige tweeling zijn.'

'Ja, en?'

'Dus weten we nog helemaal niks.'

Olaf schudt zijn hoofd. 'Volgens mij moeten we maar naar binnen gaan.'

Het is druk bij de ingang. Er staat een rij bij de kassa en daar tussendoor lopen mensen die al een kaartje hebben. Philip gaat in de rij staan, Olaf loopt speurend rond. Hij raapt een gebruikt kaartje van de grond en steekt het in zijn zak. Philip koopt een kaartje en gaat naar binnen. De zaal is al open. Hij loopt naar de man die bij de deur staat en laat zijn kaartje scheuren. Hij wacht in de zaal tot er een groepje aan komt en loopt dan terug naar de deur, precies zoals hij met Olaf afgesproken heeft.

'Meneer? Ik ben vergeten om mijn fiets goed vast te zetten. Mag ik nog even naar buiten?'

De groep staat te wachten, de man is geïrriteerd.

'Ja, ja. Schiet maar op.' De man draait zich naar de groep. Op dat moment loopt Philip terug de zaal in. Van een afstand kijkt hij naar de ingang.

Daar komt Olaf. Hij houdt even in, loopt met een groepje mee en steekt zijn kaartje op naar de man bij de deur. De man knikt en Olaf gaat naar binnen. Hij grijnst naar Philip.

'Wat zei ik? Makkie!'

De film gaat over iemand die heel erg op de president lijkt en op een dag per ongeluk verwisseld wordt. Op de poster staat dat het een komische film is en dat klopt want ze moeten er allebei om lachen.

'Ik had hem speciaal gekozen voor ons,' fluistert Olaf. 'Kunnen we nog wat van leren.'

'Sst,' sist iemand achter hen.

Olaf draait zich om. 'Aansteller,' mompelt hij.

'SST!'

Olaf kucht geïrriteerd. Als even later iemand achter ze erg hard moet lachen, draait Olaf zich om en sist: 'SSST!'

Philip draait zich kort om. Op de rij achter ze zitten vijf jongens van hun leeftijd. Eentje trapt tegen zijn stoel. Philip kijkt snel weer voor zich. Naast hem hoort hij Olaf diep inademen. Philip probeert op de film te letten maar dat is moeilijk. Iemand gooit iets naar zijn hoofd. Popcorn. In zijn haar, nog een in zijn nek. Hij hoort ze smoezen. Dan schiet Olaf overeind, hij draait zich om en haalt uit. Hij raakt de middelste jongen keihard in zijn gezicht.

Gegil, gesis. Gejoel. Vanuit de hoek komt iemand aanrennen met een zaklamp. Olaf pakt Philip bij zijn arm en trekt hem overeind.

'Wegwezen!'

Ze rennen achter elkaar de rij uit. Ze rennen de klapdeur door, de bioscoop uit. Als ze omkijken, zien ze een van de jongens bij de klapdeuren. De man die de kaartjes scheurt, staat naast hem, houdt hem tegen.

Ze staan naast elkaar te hijgen. Philip trilt. Olaf haalt een hand door zijn haar. Er valt wat popcorn op de grond.

'Jammer van de film. Ik vond hem best leuk.'

Philip knikt. 'We hadden ergens anders kunnen gaan zitten.'

'Nee, dat werkt niet. Als ze zien dat je bang bent, dan blijven ze achter je aan zitten. Dit is de enige manier.' Hij kijkt naar zijn knokkels en lacht. 'Een blauw oog, minstens.'

Het is nog vroeg, ze hadden er allebei niet op gerekend dat ze nu al buiten zouden staan. Als ze hun fietsen losgemaakt hebben, staan ze elkaar aan te kijken.

'Moet je ergens naartoe? Mijn moeder is weg, ik ben alleen thuis. Als je zin hebt om mee te eten.'

'Dan moet ik wel bellen.'

'Ja, doe dat, eten we pizza.'

Philip belt Hedwig en spreekt af dat hij niet te laat terug is. Olaf ziet er tevreden uit. Hij fluit zelfs als ze naast elkaar door de stad fietsen. Twintig minuten later zijn ze bij Olaf thuis.

Philip speelt op de computer, Olaf ligt op zijn bed en bladert door een autoblad. Naast zijn bed ligt een hele stapel. Van de vriend van zijn moeder gekregen.

'Ik heb honger. Wat voor pizza wil je?'

Philip twijfelt tussen een Hawaï en een Napolitana maar hij kiest voor de laatste, net als Olaf. Een halfuur later staat de koerier voor de deur. Als Olaf de portemonnee uit de keukenla haalt is hij leeg. Bij de voordeur hipt de koerier ongeduldig van zijn ene op zijn andere been. Gelukkig heeft Philip geld.

Ze zitten op de bank, Olaf heeft zijn pizza al op en zapt wat rond. Philip is aan zijn laatste punt bezig. Buiten wordt het al schemerig.

'Ik wil je wat laten zien, je vindt het vast leuk. Of moet je al naar huis?'

'Ik heb niet echt een tijd afgesproken.'

'Mooi.' Olaf klikt de tv uit en komt overeind.

'Opruimen?'

'Laat maar, doe ik straks.'

'Waar gaan we heen?'

'Zie je zo wel.'

Ze trekken hun jas aan en gaan naar buiten. Olaf doet de deur achter zich op slot en dan lopen ze naar de lift.

'Weet je, jij bent de eerste die ik meeneem,' zegt hij als ze bij de liftdeur staan te wachten.

De lift. Philip denkt aan het meisje en voelt zich schuldig. Hij probeert het te zeggen zoals zijn vader het zou doen, met de o ja-truc. Dat hij in de lift stond en dat het meisje instapte en hem met Olaf verwarde. Dat ze boos was en hem toen kuste. Olaf doet alsof het een leuke grap is, maar hij lacht net iets te hard.

Ze fietsen tot de rand van de stad, steken het spoor over en slaan af. Het lijkt een weg maar het is een oprijlaan, een lange rechte oprijlaan met aan beide kanten hoge bomen, die eindigt bij een hoog hek. Het hek is afgesloten met een hangslot en aan de bovenkant is prikkeldraad vastgemaakt. Olaf stapt af en verdwijnt met zijn fiets tussen de struiken om even later terug te komen zonder fiets maar met een stuk vloerbedekking.

'Fiets wegzetten,' fluistert hij.

Philip zet zijn fiets bij die van Olaf, achter de struiken tegen het gaas. Als hij terugkomt, heeft Olaf de lap over de bovenkant van het hek gegooid. Hij klimt op het hek, met de vloerbedekking als bescherming tegen de stekels van het prikkeldraad, en springt er aan de andere kant weer af.

'Kom!'

Philip twijfelt even en klimt dan achter Olaf aan over het hek. Als hij naast hem staat, trekt Olaf de lap van het hek en verbergt hem in de struiken.

'Die kant op,' fluistert hij.

Ze volgen het pad. Links en rechts zijn toegangshekjes van volkstuinen: nette tuintjes met kleine huisjes. Het is nu bijna donker, alleen de lucht is nog licht. Ze steken een parkeerterreintje over en slaan een nieuw pad in tussen hoge heggen. Aan het einde is een weiland dat doorloopt tot het spoor, aan de zijkant staat een stal. Als Olaf naar de staldeur loopt, beweegt er iets op het dak, iets groots. Als het overeind komt, valt er licht op het lijf van een pauw die zich schrap zet om weg te vliegen. Een paard steekt zijn hoofd naar buiten. Olaf fluistert tegen het paard. Hij doet de deur open en gaat naar binnen. Philip wacht. De pauw is weer gaan zitten, verdwenen in de schaduw.

Als Olaf naar buiten komt, loopt het paard naast hem. Het heeft een hoofdstel, maar geen zadel. Olaf maakt het hek van het weilandje open en gebruikt het om op de rug van het paard te klimmen. Van bovenaf glimlacht hij naar Philip, dan duwt hij zijn hakken in de zij van het paard. Het paard schudt met zijn hoofd en begint te lopen. Olaf rijdt tot bij het spoor, eerst langzaam, dan wat harder. Als hij terugkomt is zijn glimlach verdwenen, hij is in gedachten en lijkt Philip niet meer te zien.

Philip staat bij het hek en kijkt. Na een paar rondjes stopt Olaf bij het hek.

'Kom.'

'Ik heb nog nooit...'

'Ik help je.' Olaf stuurt het paard strak tegen het hek en helpt Philip voorop.

'Waaraan moet ik me vasthouden?'

'Ik hou je vast.'

Ze rijden rondjes, Philip voorop, Olaf erachter, samen op het warme paard. De scherpe, prikkelende lucht, de borstelige vacht en de rollende spieren eronder. De oren die draaien en de bolle, uitstekende ogen die hen doorlopend in de gaten proberen te houden. De maan is opgekomen en verlicht de wolken.

'Als ik een lege kelderbox vind bij de flat, neem ik haar mee naar huis. Laat ik haar grazen op het trapveldje tussen de flats.'

'Echt?'

'Natuurlijk!'

Ze rijden rondjes tot Philip kramp in zijn billen en benen krijgt. Olaf stuurt het paard naar het hek en helpt Philip ervanaf. Zelf laat hij zich van de rug glijden en brengt dan het paard terug naar de stal. Philip hoort hem zachtjes praten, hij lijkt iemand anders.

Een paar minuten later komt hij weer naar buiten, loopt om en komt even later terug met een emmer.

'Haar water was bijna op.'

Als hij de emmer weer opgeborgen heeft en het paard een laatste keer heeft geaaid, komt hij naar Philip.

'Ik weet precies waar alles ligt. Ik moest hier in het voorjaar veertig uur schoonmaken, als straf. Toffe straf.'

In het donker lopen ze terug naar het hek, klimmen erover en verruilen de lap vloerbedekking voor hun fietsen. Ze steken het spoor over en rijden de stad weer in. Bij het eerste grote kruispunt staat Olaf stil.

'Ik moet die kant op, jij moet daarheen.'

Philip kijkt in de richting waarin Olafs hand wijst.

'Heb je donderdag wat, Philip?'

'Nee, ik geloof het niet.'

'Dan heb ik wat. Hou maar vrij. En nu moet ik gaan. Weet je de weg?'

'Ongeveer. Het lukt wel.'

Olaf steekt zijn hand op en fietst weg. Philip kijkt hem even na en stapt dan ook op.

Pauline

Handig dat ze zo dicht bij oma wonen. In twintig minuten is hij heen en weer gereden om thuis wat boeken op te halen. Als Philip binnenkomt, hoort hij oma lachen. Er is nog iemand bijen, maar het is niet Hedwig. De tv, de buurvrouw? herkent hij de andere stem: het is Olaf!

Hij houdt zijn adem in en doet voorzichtig de kamerdeur op een kier. Op de stoel bij het raam ziet hij zichzelf zitten: zijn kleren, zijn haar. Oma zit op de bank met haar rug naar de deur. Olaf praat bekakt, veel erger dan Philip doet, en het gaat nergens over, maar oma heeft niks door.

Als hij nu naar binnen stapt, schrikt oma zich kapot. Dat is gevaarlijk. Hij doet voorzichtig de kamerdeur weer dicht en sluipt de gang uit en de buitentrap af. Wat kan hij doen? Hij belt Olaf, die zijn telefoon pesterig lang laat overgaan.

'Met Philip,' neemt hij op.

'Nee, helemaal niet met Philip. Wat doe je daar!'

'Ha Olaf. Waar ben je?'

'Stop daarmee. Ik sta voor de deur. Kom naar buiten.'

Philip kijkt omhoog en ziet Olaf voor het raam verschijnen. Hij lijkt echt op hem.

'Maak je niet druk, ik kom eraan.'

Het duurt nog eindeloos voor de buitendeur opengaat. Olaf komt de trap af met een plastic zak in zijn hand en zijn jas aan.

'Wat doe je hier? Waar is Hedwig?'

'Hedwig? O die. Ik heb gezegd dat ik thuisbleef, ze moest naar de apotheek of zo.'

'Oma mag niet alleen blijven. Dat is gevaarlijk!'

'Ik was er toch? Je moet je niet aanstellen, het gaat prima met je oma. Aardig mens.'

'Waarom heb je die kleren aan, dat haar?'

Olaf lacht. 'Lijkt best hè? Ik heb je foto vanmorgen aan de kapper laten zien. Alvast voor morgen.'

'Hoe wist je dat ik weg was?'

'Ik had je oma gebeld. Ik dacht dat je later zou komen.'

'Dit is echt niet leuk. Je moet mijn oma erbuiten houden.'

'Ach joh. Ze heeft toch helemaal niks door. Ik moest gewoon weten of het lukte. Als je oma ons niet uit elkaar kan houden, dan kan Nick dat ook niet.'

'Wie is Nick?'

'Nick, de vriend van mijn moeder.' Olaf haalt een A4'tje uit zijn binnenzak met een afdruk van een foto. Twee zonnebankbruine hoofden met een witte tandenlach. Links de moeder van Olaf, rechts een man. 'Hij loopt al tijden te zeuren dat we samen wat moeten doen en ik heb het al drie keer afgezegd. Nu moet ik van mijn moeder, maar ik heb geen tijd. Ik moet een klusje doen waar ik het geld al voor heb gehad.'

'Waarom zou ik jou helpen? Elke keer als je me iets vraagt, zit er wat achter. Met die agent, met die kleren...'

'Daar heb ik toch sorry voor gezegd. Ik zou het voor jou ook doen. En het is echt leuk.'

'Ik moet erover nadenken, ik weet niet...'

'Philip, ik zou het niet vragen als het niet belangrijk was. Echt niet. Maar ik kan Nick niet afzeggen en ik moet dat klusje doen. Als ik het niet doe... ik moet het doen.'

'Kan ik dat klusje niet doen?'

Olaf zucht. 'Ik denk dat je liever met Nick meegaat.'

'En dat met die Nick, dat is zeker wat stoms.'

'Helemaal niet. Hij heeft vipkaartjes voor een autorace. Ik wou dat ik meekon.'

Philip is nog nooit bij een autorace geweest en met Maarten of Anne gaat dat ook niet gebeuren. Een autorace, misschien is het best leuk. 'Wat moet ik doen?'

'Niks, gewoon jezelf zijn en met Nick meegaan.'

Philip zucht, maar hij weet dat het niet heel geloofwaardig klinkt. 'En je moet het nu zeker weten.'

'Het is morgen al. Ik wist het niet eerder. Philip, je weet niet hoe belangrijk het voor me is. Als je het doet, dan ben ik je eeuwig dankbaar. En het wordt echt leuk.'

'Ik moet op tijd terug. Ik heb een feestje.'

'Dan zeg je toch tegen Nick dat je op tijd terug moet zijn. Leuk, een feestje. Waar?'

'Bij een jongen uit mijn klas.'

'Ik dacht dat je geen vrienden had?'

'Hij heeft de hele klas uitgenodigd. Ik weet nog niet of ik ga.'

'Waarom niet?'

'Ik weet niet. Iedereen kent elkaar al jaren.'

'Wat maakt dat nou uit. Gewoon gaan! Woont ie bij jou in de buurt?'

'Op de Rembrandtlaan.'

'Hoe heet ie?'

'Casper Reuser. Hoezo? Ken je daar dan mensen?'

'Ik ken overal mensen! Hier.' Hij steekt Philip de tas toe. Er zitten een jack en een pet in. 'Voor morgen. Nick komt je om half tien ophalen bij mij voor de deur. Zorg dat je op tijd bent, anders gaat hij mijn moeder bellen.'

'Ik heb nog niet eens ja gezegd!'

'Ik wist dat ik op je kon rekenen. Ga snel naar boven, je oma is alleen.'

Philip loopt de trap op, halverwege draait hij zich om. 'Ik heb mijn veters nooit los.'

'Ik wel,' zegt Olaf, 'maar morgen mag je ze vast laten. Dat valt Nick niet op.'

Nick

Bij de uitgang van de metro doet Philip de pet van Olaf op. Hij is mooi op tijd. Omdat hij niet bij de deur van de flat wil wachten, gaat hij aan de overkant van de straat tegen een muur staan. Als er maar niemand langskomt die denkt dat hij Olaf is.

Een paar minuten later klinkt van achter de flat een zwaar motorgeluid. Een rode cabriolet komt de hoek om. Het is een oude auto, een Amerikaan, met achter het stuur een man met blond, stijl haar, een zonnebril op zijn voorhoofd. Nick kijkt op zijn horloge. Philip steekt de straat over.

'Hai. Goeiemorgen.' Nick lacht met grote witte tanden. Hij buigt opzij en doet de deur voor Philip open. 'Stap in!'

'Goeiemorgen.'

'Zo. Ik heb er zin in. Ik heb met Daan afgesproken dat je voor het eten terug bent. Is dat oké?'

'Ja, dat is goed.' Philip zoekt naar de veiligheidsgordel maar vindt alleen een riem als in een vliegtuigstoel.

Nick lacht. 'Hij is van 69. Geen airbags, geen ABS.'

En rare lage hoofdsteunen. Philip is benieuwd wat Maarten ervan zou zeggen.

'Ik dacht: dit is echt een auto voor een paardenliefhebber: een Ford Mustang met een origineel Pony-interieur.' Hij lacht, dus het zal wel een grapje zijn, maar Philip snapt er niks van. De auto stinkt naar benzine, maar misschien komt dat omdat het dak opengeklapt is. Hoewel de zon schijnt, is het eigenlijk best koud. Nick lijkt nergens last van te hebben. Ze rijden de straat uit en het motorgeluid rolt als de hekgolf van een boot achter ze aan en galmt tegen de flats. Een man op de galerij kijkt ze na. Philip doet zijn jas tot boven dicht en steekt zijn handen onder zijn benen. De kachel staat dan wel voluit aan, de koude wind komt van alle kanten.

Nick heeft zijn zonnebril opgezet. Met zijn wapperende haar ziet hij eruit als een model uit een shampooreclame. Tussen alle grijze en donkerblauwe auto's steekt Nick in de rode cabrio af als een papegaai tussen duiven. Mannen kijken, kinderen staren, vrouwen gluren. Nick is het duidelijk gewend, hij glimlacht tevreden. Ze draaien de ringweg op.

'Heb je het koud?'

Philip durft het niet toe te geven en schudt van nee, de klep van zijn pet vangt wind en wordt van zijn hoofd getrokken. Hij waait over de achterkant van de auto, blijft nog heel even op het bagagerek op de achterbak liggen maar valt dan op de weg en verdwijnt onder de vrachtwagen die achter ze rijdt.

'Hè, wat zonde. Was het een speciale?'

'Nee, nee, gewoon maar een pet.'

'Toch zonde. Hé, wat zit je haar netjes, ben je bij de kapper geweest?'

Philip grijnst.

'Staat je goed hoor. Heb je trou... oordoppen bij je?'

'Moest dat dan?'

'Nou, dat is wel verstandig.' Nick buigt voorover, doet het handschoenenkastje open en haalt er een wit doosje uit. 'Hier.'

In het doosje zitten oranje oordoppen. Philip pakt ze uit het doosje en stopt ze in zijn oren. Hij knikt tevreden. Zo heeft hij veel minder last van het lawaai van de wind. Nick lacht en zegt wat. Philip kan het niet goed verstaan. Hij haalt de dop uit zijn linkeroor.

'Genoeg gepraat?'

'O. Eh, nee. Ik wilde ze even proberen.' Hij stopt de doppen terug in het doosje. Het lawaai van de wind, de motor en de auto's die voorbijkomen is ook wel handig: zo hoef je niet zoveel te praten.

Nick doet de radio aan.

'Wat wil je horen?'

'Maakt mij niet uit,' zegt hij en hij denkt: ik hoor het toch niet.

'Daan zei dat je van rap houdt. Heb je een favoriet?'

Rap? Wat moet hij zeggen? 'Mwah, maakt me niet echt uit. Van alles.'

Nick draait aan de radio tot hij iets vindt dat op rap lijkt. Hij kijkt Philip even aan, glimlacht. 'Oké zo?'

Philip knikt. Nick tikt op het stuur mee met de muziek. Philip gaat wat onderuit zitten. Zijn pink is inmiddels dood van de kou.

Op de snelweg is het circuit al aangegeven. Ze slaan af en volgen de drukte. Langs de weg naar het circuit lopen groepen mensen. Sommigen hebben vlaggen bij zich, het zijn net voetbalsupporters. De weg zelf wordt ook steeds drukker, tot de auto's stilstaan. Nick rijdt langs de file, hij lijkt te weten wat hij doet. Vlak voor de ingang van het circuit splitst de weg: linksaf voor gewone mensen, rechts de genodigden. Nick haalt de rij gewone mensen in en rijdt door tot de slagboom. Hij laat twee kaarten zien en ze krijgen een pasje aan een koord, een dik programmaboek en een parkeerkaart. Het parkeerveld is nog bijna leeg en Nick zet de auto zo dicht mogelijk bij de baan. Ze stappen uit en Nick sluit de kap. Langs het veld lopen gezinnen, vaders met kinderen. Ze kijken naar Nick en Philip en de auto. Een man steekt zijn duim op, Nick zwaait terug.

Ze gaan naar binnen, lopen langs kraampjes met petten en T-shirts. Er staan tenten met auto's waarin vrouwen in korte rokjes folders uitdelen. Het is half elf maar het ruikt al naar gebraden worst en patat. Bij een grote stand loopt Nick naar binnen.

'Even hallo zeggen.' Op een podiumpje staat een open racewagen, ernaast staat een man die Nick begroet als een vriend. Nick stelt Philip voor.

'Rob, dit is Olaf, de zoon van een vriendin.' De man lacht professioneel. *Een* vriendin zegt hij, niet *mijn*.

Rob knipoogt naar Philip. 'Hai. Wil je er even in zitten?'

Philip durft het niet te weigeren. Kinderen en zelfs mannen kijken jaloers toe hoe hij zich in het wagentje wriemelt. Zitten noemt Rob dat, het is meer liggen. Zijn hoofd steekt nog net boven de rand uit, zijn benen komen niet eens bij de pedalen. In gedachten ziet Philip Maarten zijn hoofd schudden, maar eigenlijk is het best leuk. Iemand maakt een foto en als Philip eruit klimt krijgt hij een pen en een ansichtkaart met de handtekening van een coureur. Twee tenten verder staat een sportwagen op pootjes zodat je de velgen goed kan zien, want die verkopen ze. Nick gaat naar binnen en kust een vrouw die bij de auto staat. Hij smoest wat en de vrouw loopt weg. Even later komt ze terug met een pet.

'Voor jou.'

Overal gaat Nick naar binnen, overal kent hij mensen. Ze lopen rond het circuit tot de start van de eerste race wordt omgeroepen. Bij het hek naar de tribune laten ze hun pasjes zien, doen hun oordoppen in en gaan de trap op. Boven heb je uitzicht op het circuit, op het rechte stuk met de start en de finish, op de eerste bocht en op een reusachtig tv-scherm. Bij de start staat een grote groep kleine autootjes onder een blauwe mist van uitlaatgassen. De race begint. Af en toe komen de auto's langs, maar wie vooroprijdt of juist helemaal achteraan is na een tijdje niet zo duidelijk meer. Nick loopt een paar keer weg om te bellen. Na de race met de kleine auto's zijn de grotere auto's met nog meer lawaai aan de beurt, en daarna komen de echte raceauto's. Als je niet weet wie erin zit, is het eigenlijk meer van hetzelfde. Philip gaapt, Nick staat weer te bellen.

Na drie races gaan ze naar beneden. Ze mogen het circuit op. Ze lopen rond, schudden handen en Philip wordt voorgesteld aan coureurs en monteurs. Ze eten pizza en drinken blikjes fris. Nick is geïnteresseerd in hem of hij speelt het heel goed. Hij vraagt veel en luistert echt en dat is vermoeiend, want wat kan hij zeggen en wat niet? Philip weet niet eens of Olaf van auto's houdt. Hij is op zijn hoede maar als hij eerlijk is, vindt hij het ook best leuk. Met Anne en Maarten zou hij hier nooit komen. Dat ze voor het afgelopen is al naar huis gaan, vindt Philip niet erg. Eigenlijk is het zelfs luxe: alsof je je bord niet helemaal hoeft leeg te eten als je geen honger meer hebt.

Op de terugweg blijft de kap dicht. Waarschijnlijk is het nu zelfs voor Nick te koud. Nick vertelt over zijn bedrijf. Hij handelt in dingen om je auto *persoonlijk* te maken: strepen, stickers, stoelhoezen en bloemenvaasjes. Grappig dat hij zelf niet eens een telefoonhouder in zijn auto heeft. Nick praat over Daniëlle en waarom hij haar leuk vindt. Dat ze er fantastisch uitziet en dapper is en dat het zo goed is dat ze haar humor niet kwijtgeraakt is. Philip gelooft hem maar, Nick kent haar.

'Mijn ex had een lippizaner.'

Philip knikt behoedzaam. Een lippizaner, wat zou dat zijn? Een afwijking, een auto, een muziekinstrument? Zou hij het moeten weten?

'Mooi beest, dat kon ik zelfs zien. En ik weet er niks van. Ik ben eerlijk gezegd een beetje bang voor paarden. Rij je nog wel eens?'

'Niet vaak, ik heb geen paard meer.' Dat kan hij veilig zeggen.

'Ik heb het gehoord. Rot voor je.'

Philip knikt en hoopt dat er een ander onderwerp komt. Nick vraagt of hij een keer bij hem langs wil komen en Philip zegt dat hij dat leuk zou vinden. Dan zijn ze thuis, thuis bij Olaf dan. Nick stopt voor de deur.

'Nou, ik heb een leuke dag gehad. Super dat je mee was, goed om je te leren kennen. Doe Daan de groeten.'

'Doe ik. Dag Nick. Bedankt ook. Ik vond het leuk.'

Nick wuift zijn bedankje weg. Hij steekt een hand uit het open raam en rijdt weg. Philip kijkt hem na, steekt ook een hand op en wacht tot de auto de hoek om is. Hij kijkt even omhoog naar de flat van Olaf, dan gaat hij naar de metro.

Beneden, bij het einde van de roltrap, staat een snoepautomaat. Een grote man met een zwart leren jack staat voorovergebogen naar binnen te kijken. Hij twijfelt wat hij moet nemen. Philip is bijna bij hem. De spiraal in de automaat draait en duwt een koek naar voren, tot het randje, maar hij valt niet. De man kijkt naar Philip, steekt zijn hand naar hem op als een verkeersagent. Philip stapt van de roltrap en stopt. Met de andere hand duwt de man tegen de automaat. De deur kleppert, maar er gebeurt niets. Philip wacht, de man draait zich om, met zijn rug naar de automaat en schopt dan achteruit, als een paard, tegen de deur. Keihard. Met een droge tik valt de koek in de la. De man grijnst tevreden.

'Zo, was je ons vergeten?' De man scheurt het plastic van de koek en neemt een hap.

Niks zeggen.

'Wanneer wilde je langskomen?'

Philip slikt.

'Ze zitten erop te wachten. Ik denk dat je het zo meteen maar even moet gaan halen. Wat jij?'

Philip knikt.

'Mooi. Breng het meteen maar even bij Pat. Die heeft nog een bezorgklusje voor je.'

Philip knikt.

'Niet vergeten.'

Philip schudt van nee en loopt door.

'Olaf?'

Philip draait zich om.

'Mooie cap.'

Philip loopt snel door. Voor hij instapt kijkt hij nog even om. De man is hem niet gevolgd.

Oma en Hedwig zijn in de keuken. Hedwig is aan het koken en oma leest de krant.

'Was het leuk bij Sjoerd?'

'Ja. Het was leuk.'

'O ja, Casper heeft gebeld dat het feestje vanavond niet doorgaat. Zijn moeder is ziek.'

'Jammer.' Maar hij vindt het niet zo erg. Heel veel zin had hij er toch niet in.

Na het eten ploft hij neer op de bank en probeert te lezen. Als Hedwig en oma tv gaan kijken, legt hij zijn boek weg en kijkt mee naar mensen die elkaar kwijtgeraakt zijn. Als ze elkaar aan het einde van de aflevering huilend in de armen vallen, zitten oma en Hedwig zachtjes te sniffen.

Pelikaan

Thuis is het koud en stil. Philip geeft de planten water en haalt de post uit de bus beneden. Op het antwoordapparaat staat een nieuw bericht.

'Dit is een bericht voor de ouders van Philip Michielse van Tycho Reuser, de vader van Casper. Kunnen jullie contact met mij opnemen in verband met de WA-verzekering? Ik ga ervan uit dat jullie zoon al met jullie besproken heeft wat er gebeurd is? Bedankt. Einde bericht.'

Hij snapt er niks van. Wat er gebeurd is? Hij speelt het bericht nog een keer af. Zouden ze hem ergens de schuld van willen geven? Casper is geen vriend van Vincent. Deze keer betaalt hij niks. De waarschuwing van de bibliotheek legt hij op zijn eigen kamer, de afschriften van de bank legt hij op het bureau van Maarten en de post van Anne in het postrekje op haar kamer. *Vrienden van de Zoo* gooit hij meteen in de mand bij het oud papier.

Pas als hij er een andere folder bij gooit, valt zijn blik op de vogel op het omslag van het dierentuinblad. Een grote vogel met een vreemde snavel. Een pelikaan. Hij pakt het blad uit de mand en voelt de huid op zijn rug tintelen. Hij gaat naar de kast, gaat er op zijn knieën voor zitten op zoek naar het fotoboek dat hij laatst bekeken heeft. Vreemd, ze staan niet meer op volgorde, hij vindt het terug tussen de vakantie in Italië en de zomer dat opa en oma uit Canada over waren. Op het tweede vel staat de foto van Anne bij het beeldje.

Het is geen toeval! Het is hetzelfde beeldje als op de foto van de moeder van Olaf. Het moet dezelfde plek zijn. Voorzichtig trekt hij de foto los. Op de achterkant heeft Maarten

2 November Wel & Bosch geschreven. Wat is dat, Wel & Bosch? Waar is het? Stom dat Maarten zijn laptop meegenomen heeft en dat hij het wachtwoord van Anne niet kent. Met een computer zou hij het zo gevonden hebben. Hij zet de fotoboeken terug in de kast, in de goede volgorde nu.

Als hij overeind komt ziet hij iets onder de bank uitsteken. Het is een grote bruine envelop zonder adres of afzender. Van Anne natuurlijk. Hij legt hem op haar kamer in het postrekje. Dan sluit hij af en gaat terug naar oma.

'Oma, weet u waar deze foto gemaakt is?'

Oma doet haar leesbril op en bekijkt de foto. Ze glimlacht naar de Anne van dertien jaar geleden. Dan draait ze de foto om en leest de tekst op de achterkant. 'Wel & Bosch...? Ach ja, natuurlijk. De kliniek. Ik denk dat ze zojuist gehoord heeft dat ze in verwachting is. Van jou.'

'Is het een ziekenhuis?'

'Ja, nee, een kliniek voor... Anne en Maarten wilden graag een kindje maar het lukte niet. Bij Wel & Bosch behandelen ze mensen... Mensen die wat hulp nodig hebben om zwanger te worden.'

Philip knikt. Hij vindt het niet fijn dat hij het niet wist en oma wel. Maar wat betekent het? Hij moet erover nadenken.

Als Philip wegloopt, roept oma hem na.

'Vergeet je niet me de sleutel terug te geven, Philip?'

'Welke sleutel?'

'De sleutel van jullie huis. Ik heb hem toch aan jou uitgeleend?'

'Nee hoor. Ik heb toch zelf een sleutel.'

'Maar...'

'Echt niet oma. Ik heb hem niet.'

Ze kijkt hem met grote ogen aan. Hij wil niet dat ze bang

94

is. 'Misschien ben ik het vergeten, ik zal wel even zoeken.'

'Ja, als je dat doen wilt.'

Hij gaat naar zijn kamer en doet de computer aan. Hij heeft de kliniek zo gevonden. *Wel & Bosch, Als zwanger worden niet vanzelf gaat.* Philip leest over ivf en ics en alle andere behandelingen. Anne en Maarten hebben het hem nooit verteld. Maar waarom niet? En is de foto van de pelikaan een bewijs dat hij en Olaf er allebei vandaan komen? Hij doet de slaapkamerdeur dicht en belt het nummer van Wel & Bosch.

'Goedemorgen mevrouw, met Philip Michielse. Mijn moeder is behandeld bij u. Kan ik u daar wat over vragen?'

'Ik verbind je door, ogenblikje.'

'Met Machteld Oosthoek.'

'Goedemorgen mevrouw, met Philip Michielse. Ik heb een vraag. Ik ben in jullie ziekenhuis niet geboren maar...'

'Verwekt.'

'Ja, dat denk ik. Verwekt.'

'Denk je het, of weet je het?'

'Ik weet het. Zeker. Ik vroeg me af: kan ik een tweelingbroer hebben?'

'Ik begrijp je vraag niet. Heb je een tweelingbroer?'

'Ik bedoel: kan ik een tweelingbroer hebben die een andere moeder heeft.'

'Nee, nee. Een tweelingbroer heeft dezelfde vader én moeder. Of... je hebt een tweelingbroer maar die heeft nu een andere moeder. Zijn jullie ter adoptie aangeboden?'

'Kan het ook anders? Dat ik een broer heb, maar dat hij bij een andere moeder geboren is? Jullie doen toch eitjes terug in de buik? Misschien hebben jullie het verkeerde eitje...?'

'Nee, nee. Nee hoor, dat kan niet. Dat doen we hier niet.

Bij onze behandeling is het eitje altijd van de moeder zelf.'

'En met die donoren?'

'Van sommige kinderen is de vader een donor. Dat kan. Het zaad is dan van een donor, maar het eitje is van de biologische moeder. Twee kinderen kunnen dan wel op elkaar lijken, maar een tweeling, dat kan niet, want de moeders verschillen.'

'Ik zou dus op iemand kunnen lijken omdat we dezelfde vader hebben.'

'Wacht even, het is theorie. Het zóú kunnen, maar ik weet natuurlijk helemaal niet of dat bij jou zo is. Daar kan ik zo niets over zeggen. Heb je het er met je ouders over gehad?'

'Ja, ja. Zeker.'

'Het spijt me, maar persoonlijke inlichtingen kan ik je per telefoon eigenlijk niet geven. Bespreek het vooral ook met je ouders.'

'Ja, dat zal ik doen.'

'We hebben ook een spreekbeurtsite.'

'O, ik zal eens kijken. Dank u wel.'

'Graag gedaan hoor.'

Begrijpt hij het nou? Het is net een raadsel. Anne is zijn moeder, Daniëlle is de moeder van Olaf. Daarom zijn ze geen tweeling. Maar als ze alleen dezelfde vader hebben en een andere moeder, zouden ze dan zo op elkaar lijken? En als ze dezelfde vader hebben, betekent dat dan dat Maarten zijn vader niet is of dat Maarten ook de vader van Olaf is? Waarom hebben zijn ouders niets verteld? Philip voelt zich opeens slecht op zijn gemak. Hij belt Olaf.

'Zo Philip, fijne jongen.'

'Wat bedoel je?'

'Dat zei Nick, dat ik een fijne jongen was. Ik dacht: ik geeft het even door.'

'Olaf, ik heb wat gevonden. Iets over ons.'

'Nou?'

'Ik denk dat het geen toeval is. Jouw moeder en mijn moeder zijn in dezelfde kliniek geweest.'

Het blijft stil.

'Wist je het al?'

'Wat?'

'Van Wel & Bosch.'

'Je moet echt duidelijker zijn.' Op de achtergrond klinkt geplons.

'Wat is dat geluid?'

'Ik zit in een roeiboot. Ik vaar rondjes omdat ik met één hand aan het bellen ben.'

'Mijn moeder is behandeld omdat ze niet zwanger kon worden. En jouw moeder is in dezelfde kliniek geweest.'

Het plonzen houdt op. 'Zal ik naar je toe komen?' vraagt Olaf.

'Nee, doe maar niet hier.'

'Je kan hierheen komen. Hier is het lekker rustig.'

Olaf legt Philip uit waar hij is. Met de bus is het niet ver.

Olaf houdt de boot met een hand bij de oever. Hij is naar de steiger gevaren die het dichtst bij de bushalte is.

Philip ziet zijn ontlijfde hoofd boven het gras aan de waterkant uitkomen. Pas als hij dichterbij komt ziet hij de roeiboot.

'Ook van jou geweest vroeger?'

'De boot? Nee, die hoort bij het huisje. Van iemand met wie ik vroeger speelde. Ik zal het je laten zien, stap in.'

Philip klimt in de boot en Olaf duwt af. Hij haakt de riemen in de ogen en draait de boot. Je kan zien dat hij het va-

97

ker gedaan heeft. Ze varen langs de oever, volgen een kreek en komen dan in een plas vol kleine eilandjes.

'Is er geen brug naar dat huisje?'

'Nee, je kan er alleen met een boot komen.' Hij kijkt over zijn schouder. 'Het is dat blauwe huisje daar.' Hij vaart de boot om het eiland en legt aan de andere kant aan.

'Weet je zeker dat ze er niet zijn?'

Olaf lacht. 'Dit is hun enige boot en het water is te koud om te zwemmen.' Hij maakt de boot met een touw aan een boom vast en helpt Philip uitstappen.

Naast het huisje staat een schommelbank. Olaf ploft erin. Philip gaat naast hem zitten.

'Hoe heb je het ontdekt van die kliniek?'

'Door een foto. Bij jou thuis in de kast staat een foto van je moeder met een beeldje. Mijn moeder heeft bijna dezelfde foto. Hij is gemaakt bij de kliniek.'

'Eigenlijk wist ik wel dat het zoiets was.' Olaf zet met een been af, de bank gaat achteruit en Philip valt er bijna voorover af. Als de bank weer naar voren komt, wordt hij met een klap in de kussens geduwd. 'Kijk naar ons, dat kan toch geen toeval zijn?'

'We weten nog niks, het is geen bewijs.'

'Ik denk dat we een test moeten doen. Wat zeg jij?'

'Ik weet het niet.' Hoe moet Philip duidelijk maken dat het als verraad voelt?

'Wat weet je niet?'

'Mijn ouders zijn op vakantie. Ik wil het niet achter hun rug om doen.'

'Pff. Als wij broers zijn heeft iemand achter onze rug om lopen liegen.' Olaf pakt een hand chips uit een zak naast de bank.

'Oké, ik zal op internet wel kijken hoe zo'n test gaat,' zegt Philip. Hij pakt wat chips als Olaf hem de zak voorhoudt.

'Waarom ben je eigenlijk hier?'

Olaf pakt de laatste chips en verfrommelt de zak. 'Gedoe. Hier is het lekker rustig.'

Een kwartier later gaan ze weg. Olaf legt de kussens van de bank in een kist naast het huisje. Hij gooit zijn lege chipszak in de vuilnisbak en klimt in de boot.

'Maak jij even los?'

Philip maakt de knoop los en laat zich in de boot zakken. Hij gaat tegenover Olaf zitten en duwt af. Ze varen zigzaggend tussen de eilandjes door, draaien een grotere plas op.

'Wil jij anders even roeien? Ik ben het een beetje zat.' Olaf steekt zijn rode handpalmen omhoog.

Philip komt voorzichtig overeind om van plaats te wisselen, de boot schommelt behoorlijk. Olaf gaat ook staan.

Als hij langs Philip wil stappen blijft de losse veter van zijn linker schoen haken in de vlonders onder in de boot. Olaf valt op het bankje waar Philip net nog zat, de boot kapseist bijna en Philip valt voorover, over Olaf, op de rand en dan overboord.

Koud is het water! Zijn kleren lopen vol, plakken aan zijn lijf. Hij trappelt, plantenstengels grijpen zijn benen. Hij probeert de rand van de boot te pakken, graait mis en nog eens. Olaf zit keihard te lachen in de boot. Philip vloekt, krijgt water binnen en hoest. Nu heeft hij de rand te pakken. De boot kantelt zijn kant op. Olaf komt overeind, kijkt Philip aan en moet nu nog harder lachen. Hij struikelt en valt weer achterover. De rand schiet omhoog en raakt Philip onder zijn kin. Philip zakt terug in het water. Hij is niet bewusteloos, hij ziet alles. Olaf die op zijn knieën in de boot zit en naar hem kijkt. *Waterspiegel.* Olaf boven, hij onder water. *Waarom help je niet?* Een hand grijpt zijn jack en trekt hem omhoog. Philip hoest, Olaf pakt hem onder zijn arm.

'Meehelpen! Zwemmen!' Olaf hijst hem op de rand. Philip trappelt en rolt de boot in. Hij hoest tot hij bijna moet overgeven.

'Gaat het?'

Philip knikt.

Olaf pakt de riemen. 'Je moet droge kleren aan. Gaat het echt?'

'Ja.'

Ze gaan niet terug naar de bushalte maar steken de plas over. Daar begint een kreek en die varen ze in. Aan het einde wordt het weer breder en zijn aan beide kanten steigers. Op een lege plek maakt Olaf de boot vast en klimt eruit. Hij helpt Philip op de kant. De zon schijnt, maar in de wind is het koud en Philip staat al snel te klappertanden. Olaf maakt zijn scooter los.

'Stap op, ik breng je wel even. Naar je oma?'

'Doe maar naar mijn eigen huis.'

Philip probeert zich achter Olaf te verschuilen voor de wind, het gaat maar half. Hij is blij als ze de straat in draaien.

'Je kan nog wel even binnenkomen...' Hij vraagt het vooral uit beleefdheid, omdat Olaf hem thuisgebracht heeft. Maar Olaf moet weg. Philip doucht en trekt schone kleren aan, dan gaat hij naar oma.

Oma is bezig in de keuken. Ze heeft toastjes op een schaal gelegd en nu is ze worst in plakjes aan het snijden.

'Ah, goed dat je er bent! Misschien kan jij de wijnglazen vast pakken uit de grote kast.'

'Krijgt u bezoek?'

'Ja, Anne is gisteren teruggekomen. Voorzichtig met de glazen hè, het is kristal.'

Hedwig was boven bezig met de was en komt met een stapel opgevouwen theedoeken beneden. Ze ziet de blik van Philip.

'Misschien moet je even uitleggen wie Anne is, Pauline.'

Oma kijkt Hedwig en daarna Philip verbaasd aan. Dan moet ze lachen.

'Ach jongen, heb ik je laten schrikken? Ik bedoel niet onze Anne. Anne Wieringa ken ik van bridgen. Hij woont hier in de straat, maar in de winter gaat hij naar Spanje. Hij is van de week teruggekomen en hij komt straks wat drinken. Was je geschrokken, je ziet helemaal wit.'

Ja, hij was geschrokken en hij vindt het vervelend dat ze het gemerkt heeft. Nu is hij opgelucht.

Op zijn kamer zoekt hij op internet naar een test. Het is gemakkelijker dan hij dacht; het kan overal, hij kan kiezen. Verwantschapstesten, vaderschapstesten, tweelingtesten. Vandaag aanvragen, morgen bij de post. En hij kan het zelf betalen. Hij vult het formulier in en belt Olaf om te zeggen dat hij een test aangevraagd heeft.

Oma en Hedwig zitten in de kamer. Oma drinkt port, Hedwig sinaasappelsap. Ze hebben de toastjes en de worst al bijna op.

'Wachten jullie niet op Anne?'

'Ik heb me vergist, hij komt volgende week pas. Kom je even bij ons zitten?'

Philip kijkt oma aan en zoekt naar gelijkenissen. Als Maarten zijn vader is en oma is Maartens moeder, dan moeten er toch dingen hetzelfde zijn. Haren, oren, ogen. Iets. Of lijken Olaf en hij zo op elkaar omdat ze zo gewoon zijn?

Als Hedwig even naar de keuken is vraagt hij het: 'Oma?'

'Ja jongen?'

'Waarom wist ik niet dat ik in die kliniek verwekt ben?'

'Ach jongen. Ik denk dat je ouders het niet belangrijk genoeg vonden om het te vertellen. Het is niet heel bijzonder.'

'Zijn Maarten en Anne mijn echte ouders?'

'Hoe bedoel je? Of ze je biologische ouders zijn?'

'Ja, dat.'

'Ja. Ja, natuurlijk. Anders hadden ze dat toch wel verteld. Waarom vraag je dat?'

'Zomaar.'

Oma glimlacht. 'Het is lang geleden, maar ik herken het wel. Toen ik jong was... Mijn ouders waren zo anders dan ik, ik kon me bijna niet voorstellen dat ik net als zij zou worden. Ik herkende niets.'

Philip knikt, maar meer uit beleefdheid dan uit herkenning. Ik twijfelde helemaal niet, denkt hij, tot ik iemand tegenkwam die er net zo uitzag als ik.

Ophrys Apifera

's Morgens had hij nog bedacht dat hij de test mee zou nemen naar zijn eigen huis, om hem daar te doen, maar oma gaat met Hedwig naar een orchideeëntentoonstelling. Daarom belt Philip Olaf en vraagt of hij naar het huis van oma komt. De post wordt meestal tussen elf en half twaalf bezorgd, als Olaf er om twaalf uur is, zou de test er moeten zijn.

Om half elf gaat oma weg. Philip gaat aan de keukentafel zitten en bladert door de krant. Hij heeft de voordeur op een kiertje staan, zodat hij de klep van de brievenbus beneden kan horen. Naast de krant ligt het sleuteltje van de bus. Om kwart over elf hoort hij de brievenbus klepperen. Philip rent de trap af maar het is een folder. Hij is net boven als hij de bus weer hoort. Nu is het wel de post. Twee brieven van de bank voor oma en een grote envelop voor dhr. P. Michielse. Dat moet hem zijn.

Het stelt niet veel voor: in de envelop zitten een foldertje met de uitleg, een formulier waarop je wat gegevens moet invullen, twee doorzichtige buisjes met plastic spateltjes en stickers om op de buisjes te plakken.

Om twee uur is Olaf er. Hij is met de fiets. De vorige keer dat hij in het huis van oma was, deed hij alsof hij Philip was, deze keer kijkt hij rond zoals Philip deed in de flat van Olaf. Hij loopt langs de boekenkast, langs de vitrinekast met Japanse sierknopen, kijkt naar foto's, laat zijn vinger over de toetsen van de piano gaan.

'Ik heb de test. Zullen we het meteen maar doen?' Philip spreidt de spullen uit de envelop uit op de keukentafel.

'Moet dat met bloed en zo?' Olaf kijkt hem bezorgd aan.

'Nee, met slijm uit je mond.'

'Als we het doen, als we het opsturen, dan kunnen we niet meer terug.' Olaf gaat naast Philip aan de keukentafel zitten.

'Twijfel je?'

'Nee, ik wil het wel weten. Is het duur?'

'Valt mee. Ik betaal wel.' Philip pakt een buisje en haalt het spateltje eruit.

'Geen bloed hè?'

'Slijm, geen bloed.'

'Slijmbroeders, dat zijn we. Oké, laten we het maar doen.'

Philip leest de gebruiksaanwijzing voor. Het is heel makkelijk: spateltje langs de binnenkant van je wang halen en in het buisje stoppen, sticker erop en klaar.

Ze zitten naast elkaar aan de keukentafel, allebei met hun eigen buisje. Ze kijken elkaar aan, steken het spateltje in hun mond.

'Is dit genoeg?' Olaf steekt het spateltje uit met op het uiteinde wat slijm.

'Ik weet het niet. Ik doe het gewoon twee keer.' Philip smeert het slijm in het buisje, schraapt nog een keer en doet dat erbij. Dan draait hij het buisje dicht en plakt de sticker erop. Olaf doet hetzelfde en gooit zijn buisje in de envelop.

De computer staat op de logeerkamer. Als Philip het geld overmaakt voor de test komt Olaf achter hem staan.

'Zo, dat is niet slecht. Heb je een bank overvallen?'

Het is waar, er staat veel geld op zijn rekening. Philip voelt zich er bijna schuldig om. 'Mijn oma geeft me soms geld. Ik mag het niet zomaar uitgeven, het is ook voor later.'

'Is al goed. Maar ik vind het opeens niet zo erg meer dat jij betaalt. Wanneer komt de uitslag?'

'Over drie dagen.'

Terwijl Philip aan de tafel in de woonkamer het formulier invult, loopt Olaf door de kamer. Bij de vitrinekast met de Japanse sierknopen staat hij stil. Hij maakt de deur open en pakt een van de *netsukes*, de ivoren kikker. Hij legt hem terug, pakt een andere knoop en bekijkt hem.

'Niet aankomen! Oma is daar heel voorzichtig mee. Ze zijn al heel oud.'

'Sorry hoor!' Olaf doet de kast dicht en steekt zijn handen overdreven diep in zijn zak om te laten zien dat hij overal afblijft. 'Had ik je al verteld dat het uit is tussen mijn moeder en Nick?'

'O. Jammer. Ik vond het best een aardige man.'

'Aardige man? Domme patser met zijn gouden kettinkje. En die ouwelullenauto van hem.'

'Ik vond het een mooie auto en Nick vond ik ook best aardig.'

'Best aardig! Tot je iedere avond tegen die kop van hem aan moet kijken. Ik ben blij dat hij weg is.'

'Nou, fijn voor jou.'

'Nee, niet echt. Want nu wil mijn moeder naar Frankrijk, naar haar broer.'

'Hoe bedoel je? Je moet toch naar school?'

'Emigreren. Voor Nick hoeft ze niet meer te blijven en ze is bang dat ik hier ontspóór!'

Philip schrikt ervan. 'Voor hoe lang? Spreek je Frans dan?'

'Ik ga niet. Nooit.' Olaf loopt naar de tafel, slaat Philip op zijn schouder. 'Ik ga naar huis. Zal ik de brief in de bus doen?'

'Doe ik wel.'
'Doen we het samen.'

Olaf fietst heel langzaam zodat Philip hem lopend bij kan houden. Philip draagt de brief. Hij weegt bijna niets, maar hij is toch zwaar.

'Wie denk je dat onze vader is?' vraagt Olaf. 'Ik gok op die van jou.'

'Ik gok niet.'

'Straks is Fred ook jouw vader. Zou dat even pech voor je zijn,' grijnst Olaf.

Ze staan stil voor de brievenbus. Olaf stapt af en Philip steekt de envelop tot halverwege in de sleuf van de brievenbus. Ze kijken elkaar kort aan.

'Nou, daar gaat hij dan.' Een duwtje en dan is de brief verdwenen. Ze kunnen niet meer terug. Als Olaf zijn hand uit zijn zak haalt valt er iets op de grond. Het is zo groot als een kleine walnoot, lichtbruin van kleur. Dan herkent Philip de vorm: het is een *ojime*, een sierknoop uit de vitrinekast van oma. Een uit ivoor gesneden appeltje met een slang er- omheen gewikkeld. Olaf buigt voorover en pakt de knoop.

'Wat is dat!'

'Niks.'

'Laat zien. Het is een ojime van mijn oma!'

'Het is een oowjiemee van mijn oowma,' bauwt Olaf Phi- lip na.

Philip trilt van kwaadheid. 'Vuile dief! Geef hier!'

'Misschien is ze ook wel mijn oma. Is het ook een beetje van mij.'

'Geef hier!'

Olaf doet alsof hij het wil geven, maar als Philip dichter- bij komt, geeft hij hem een harde duw, springt op zijn fiets en rijdt zo hard hij kan weg. Philip rent achter hem aan, maar kan hem niet bijhouden en dat maakt hem nog bozer. Olaf staat op zijn trappers en lacht spottend als hij ziet dat hij Philip afgeschud heeft.

Philip is woest. Hij loopt terug naar de brievenbus en probeert de brief door de sleuf terug te pakken. Natuurlijk gaat het niet. Hij loopt terug naar het huis van oma maar halverwege bedenkt hij zich. Als uit de test blijkt dat ze familie zijn, dan zit hij aan hem vast. Hij moet de brief terughalen, hij moet de test niet doen. En hij moet weten hoe laat de postbode komt om de bus leeg te maken. *Volgende lichting zondag na 17.00 uur* leest hij op de brievenbus. Dat is morgen pas. Nog een dag. Hij loopt naar het huis van oma. Hij kan weer rustig ademen maar hij voelt zijn hart nog steeds kloppen op zijn slapen.

Oma en Hedwig zijn net terug. Op tafel in de kamer staat een stakige plant met aan het einde van de lange kale steel een vreemd wit bloemetje. Oma en Hedwig lopen eromheen en bekijken hem van alle kanten. Net de mannen bij de auto van Nick op de parkeerplaats van het circuit.

'O, hallo Philip. Wat vind je van onze aanwinst. Een witte Ophrys Apifera, een bijenorchis. Moet je kijken.' Hedwig wijst op de bloem. 'Net een bij. Ongelofelijk toch?'

Van dichtbij is de bloem nog vreemder. Vanachter is het een wit bloempje aan een te lange steel, van de voorkant steekt uit de witte bloem een vreemd gevormd blad. Het is bruin, harig en gevlekt en het lijkt echt op een bij.

Oma voelt even aan de aarde in de pot. 'Prachtig is hij. Hedwig heeft er ook een voor zichzelf gekocht.'

Hedwig lacht. 'Je oma heeft hem voor mij gekocht.'

'Ja mooi,' zegt Philip. 'Ik ga even naar mijn kamer.' Hij is blij dat ze zo druk zijn met de plant, zo letten ze tenminste niet op hem.

Hij zegt niet veel tijdens het eten. Het valt oma en Hedwig vast wel op maar ze vragen niet naar de reden. Na het eten helpt hij afwassen en als Hedwig op haar kamer gaat lezen, gaat hij met oma tv kijken. Er is een film. Niet erg leuk maar leuk genoeg om uit te kijken. Om half elf is hij afgelopen. Oma gaat douchen, Philip sluit af en doet de lichten uit. Als hij het ganglicht uitdoet, hoort hij beneden de klep van de brievenbus. Stilletjes pakt hij de sleutel van de brievenbus, doet de deur open en gaat naar beneden. In de bus zit een envelop met een bobbel. *Voor Philip* staat erop. Hij voelt de ojime door het papier heen en hij is blij. Hij sluipt terug naar boven en doet de voordeur op het nachtslot. Dan legt hij de ojime terug in de vitrinekast. Niemand heeft het gemerkt.

'Slaap lekker Hedwig, slaap lekker oma.'

'Slaap lekker Philip.'

'Slaap lekker jongen.'

Linaeusstraat

Als Philip beneden komt zijn oma en Hedwig in de keuken. Vanuit de kamer klinkt zachte pianomuziek. Oma en Hedwig zitten aan de keukentafel die vol ligt met spullen, verzameld rond een stakige plant met roze bloemen en lange luchtwortels. Mesjes, potjes, flesjes en zakjes, een opengeslagen boekje. Het zijn net twee artsen rond een patiënt, of twee oude heksen.

'Goedemorgen Philip. Is het niet ongelofelijk?'

'Wat?'

'Dit! We gaan deze plant redden! Op de tentoonstelling was een kweker en die heeft het ons helemaal uitgelegd.' Ze pakt een papier en steekt het omhoog.

Hedwig kijkt Philip over haar halve bril aan. 'Hoe je nieuwe planten kan kweken uit één bestaande plant. Bijzonder hè?'

Philip snapt er niets van.

Oma tikt op het boekje. 'Met deze plant! Je maakt keepjes in de stengel en dan doe je dit poeder erop en dan groeit er een nieuw plantje uit. Net als de oude plant, maar helemaal nieuw. Ongelofelijk toch?'

Philip kijkt van de plant naar de scherpe mesjes en naar het boekje: *Marcotteren bij Phalaenopsis*. Op de achtergrond kabbelt de pianomuziek uit de radio. Hij kijkt naar oma en Hedwig, de plantenmartelaars, en knikt.

'Ongelofelijk.'

Om één uur besluit Philip de envelop terug te halen. Olaf kan stikken. Om drie uur bedenkt hij dat hij de test toch maar door laat gaan. Als hij de uitslag heeft kan hij altijd nog bedenken wat hij ermee moet. Om kwart voor vijf loopt hij naar de brievenbus. Als de bestelwagen om tien over vijf eindelijk komt, stapt hij meteen naar de postbode toe.

'Dag meneer.'

De postbode kijkt hem achterdochtig aan. Hij hangt een tas onder de bus en steekt een sleutel in de voorkant.

'Gisteren heb ik een brief in de bus gegooid. Mag ik hem terug? Ik wil hem niet versturen.'

De postbode zucht. 'Het spijt me,' zegt hij, maar het klinkt niet zo. 'Daar kan ik niet aan beginnen.'

'Maar ik weet hoe hij eruitziet. Ik kan hem zo pakken.'

'Ik geloof je meteen, maar het mag niet. Dat zijn de regels.' Hij draait de sleutel om en trekt de bus open. De brieven vallen in de tas. 'Sorry.' Hij klapt de bus weer dicht en gooit de tas in de bestelwagen.

Philip gaat boos naar huis. Hij zou morgen kunnen bellen met het laboratorium om te vragen of ze de test niet doen. Misschien kan hij het geld nog terughalen. Als hij niet betaalt, doen ze de test vast niet.

Na het eten kijkt hij een stuk van een film, maar als er een nieuwsprogramma tussendoor komt, gaat hij naar bed.

Hij ligt wakker, dommelt weg en wordt weer wakker. Het is half één. Oma scharrelt door het huis. Hij hoort haar in de keuken een glas pakken, een stoel verschuiven. De koelkastdeur gaat open, dicht. Hedwig is nu ook wakker. Haar deur gaat open en ze loopt naar de keuken. Ze praten zachtjes, hij hoort ze in de kamer. Even later gaat Hedwig weer naar bed. Philip staat op. Oma zit op de bank en kijkt een oude zwart-witfilm.

'Kan je ook niet slapen?'

Philip gaat naast haar op de bank zitten. 'Het is zwart-wit!'

'Ik kom nog uit de tijd dat er helemaal geen televisie was.

Zwart-wit was al heel wat. Maar het maakt niet zoveel verschil. Als je in het verhaal zit, mis je de kleuren helemaal niet. Je let er niet meer op.'

Oma slaat een arm om hem heen, hij gaat tegen haar aan zitten en kijkt mee naar de huifkarren die traag door indianenland trekken. Buiten op straat is het stil, de kamer is donker op het blauwe licht van de tv en het gele van de staande lamp naast de bank na. Het licht is een eiland, een kampvuur om de wolven op afstand te houden.

Maandagmorgen gaat hij met oma en Hedwig mee naar het ziekenhuis. Oma heeft hoofdpijn en ze maakt zich zorgen.

Hij gaat op een bank in de wachtkamer zitten en bladert door een tijdschrift terwijl oma en Hedwig in de spreekkamer zijn. Foto's van bekende mensen, maar niet voor hem. Een zanger, een politicus. Een acteur met zijn nieuwe vriendin die in verwachting is van háár eerste en zíjn derde kind. Dezelfde vader, een andere moeder. Halfbroers. Die vrouw van Wel & Bosch zegt dat ze geen tweeling kunnen zijn, maar halfbroers kan wel. Maar wie is dan hun vader? Maarten? De vader van Olaf? Iemand anders? Hij bladert door het blad: een presentator, een voetballer (weinig kans), een zanger (geen kans). Anne en Maarten willen vast ook weten hoe het zit, dat kan niet anders. Of weten ze het al? Als ze het niet weten, helpt hij ze, als ze het wel weten, dan zijn zij begonnen met liegen. En als hij en Olaf geen familie van elkaar zijn, dan hoeft hij er niet meer met ze over te beginnen. Hij gaat de test niet afzeggen.

De deur van de spreekkamer gaat open en oma en Hedwig komen naar buiten.

'En?'

Oma glimlacht en zucht gemaakt: 'Rustig aan doen en de medicijnen op tijd innemen.'

's Middags chat hij kort met Mario, hij speelt een spel op de computer en leest. Hij lijkt wel een bejaarde.

Dinsdagmorgen gaat hij naar zijn eigen huis voor de planten. Hij mist Anne en Maarten. Hij had gehoopt dat het thuis minder zou zijn, maar het is juist erger. Hij gaat op het grote bed liggen, zijn hoofd tussen de kussens van Maarten en Anne. In het midden, net als vroeger. Aan de muur, tegenover het bed hangt een foto. Hij is in Zwitserland genomen, of in Oostenrijk, dat weet hij niet meer. Ze zitten op een reusachtige kei, Maarten, hijzelf en Anne. Erachter is een diep dal en daarachter donkere, blauwe bergen met witte punten. Het is een mooie foto, zij vooraan, lachend in het licht tegen de donkere achtergrond. Vroeger werd hij blij als hij de foto zag.

Hij gaat op zoek naar het fotoboek van die vakantie maar hij kan het niet vinden. In plaats van het boek pakt hij een videobandje. Hij moet eerst op zoek naar de camera. Onder in de klerenkast van Maarten vindt hij hem. Hij sluit de camera aan op de tv in de slaapkamer en hij gaat op het bed zitten.

Anne met een bolle buik voor een donkerrode muur. Ze lacht. Van voren heeft ze een dikke buik, als ze draait, en je haar van de zijkant ziet, schrik je pas echt. Maarten zoomt in tot de buik beeldvullend is. Een bolle navel onder het T-shirt als het ventiel van een strandbal. Buiten beeld hoor je Anne iets zeggen, je kan het niet verstaan. Maarten lacht, de camera schudt. Ruis.

Anne op het bed in de slaapkamer van het oude huis. Ze ziet er warm uit, met rode wangen. Ze lacht vermoeid.

'Doe weg, Maarten. Ik zie er niet uit.'

'Je ziet er prachtig uit.' Hij zoomt in op haar buik. 'Even nog. We zijn zo benieuwd.'

'Ja, nu is het genoeg. Doe maar uit.' Ruis.

Anne ligt in een ziekenhuisbed. Ze heeft een lichtblauw nachthemd aan. Ze is heel bleek maar ze is echt gelukkig, dat zie je zo. Maarten zit naast haar. Hij ziet er vooral geschrokken uit. Een wit hoofd met bijna kleurloze lippen. Op de buik van Anne ligt een baby. Is hij dat?

Een onbekende stem: 'Jullie staan er mooi op hoor. Nou (...)'

Ruis.

Weer Anne in een ziekenhuisbed, maar op een andere kamer. Ze ziet er een stuk beter uit. Naast het bed staan bloemen, aan de andere kant een plastic wiegje met een slapende baby. Anne maakt een envelop open.

'Van Pieter en Lisa, wat aardig van ze.' Anne houdt de kaart omhoog. Maarten richt de camera op het prikbord achter het hoofdeinde. Het hangt vol kaartjes. Ruis.

Van heel dichtbij: een baby met een rood hoofdje en een streepjesmuts. Donkere haartjes. Hij heeft de hik.

Genoeg. Hij bergt de videocamera weer op en legt het bandje terug.

Als hij terug is bij oma ligt er een kaart van Anne en Maarten. Net alsof ze op hetzelfde moment ook aan hem gedacht hebben. Op de kaart staan een donkere vrouw met een rok van lichte sliertjes met om haar nek een ketting van bloemen en een dikkige man met een minigitaartje. Op de achterkant staan twee blokjes tekst. Het bovenste in de gelijkmatige letters van Anne, het onderste in de hakerige kriebels van Maarten. Ze missen hem. Hij denkt aan de test en voelt zich schuldig.

Hij helpt Hedwig met boodschappen doen en koken en gaat 's avonds vroeg naar bed. Als zijn ouders het zouden zien, zouden ze hem niet herkennen.

Pat

Het goede nieuws: vandaag komt eindelijk de uitslag van de test. Het slechte nieuws: het is pas half acht. Normaal kost het Philip helemaal geen moeite om zich te verslapen, maar juist nu is hij klaarwakker. Hedwig is al beneden, oma ligt nog in bed.

Philip leest de krant, gaat douchen, doet de computer aan en verveelt zich. Een uur nog.

'Philip?' Het is Hedwig. Ze staat te strijken. 'Ach Philip, ik ben helemaal vergeten naar de apotheek te gaan. Zou jij even kunnen gaan, dan kan ik dit afmaken.'

Hij zou liever thuisblijven maar hij kan het niet weigeren. Als hij een beetje opschiet is hij terug voor de post er is.

Het is druk in de apotheek en het zijn allemaal mensen zonder haast. Hij wil een dropje pakken van het schaaltje maar als de man voor hem er ook een pakt, de man die vlak ervoor nog zo blaffend stond te hoesten, bedenkt hij zich.

'Jongeman?'

Hij geeft het briefje en de vrouw achter de balie gaat naar achter. Ze loopt tussen de kasten door en verzamelt doosjes alsof het sieraden zijn.

De post is al geweest, oma is op en loopt in haar peignoir ('nee jongen, dat is géén badjas') door de kamer. Ze voelt aan de grond in de pot van de planten, doet er hier en daar een scheutje water bij. Op een tafeltje staat de plant die ze gisteren mishandeld hebben. Onderaan, een stukje boven de aarde, zit iets om de stengel gebonden. Philip geeft de medicijnen aan Hedwig.

'Was er post voor mij?'

'Kijk maar even, op tafel.' Op het oude bureau van opa ligt de post op een stapeltje. Onder een bankafschrift ligt een witte envelop. Dhr. P. Michielse. P. Michielse, wat stom, zo heet oma ook. Hij had het gewoon thuis moeten laten bezorgen. Nu heeft oma de brief opengemaakt. Zou ze hem gelezen hebben?

'Zat er wat voor jou bij?' vraagt Hedwig.

'Ja, deze,' zegt hij en hij steekt de envelop in zijn jaszak. Hij gaat naar zijn kamer en leest de brief op de rand van zijn bed.

De door u aangeleverde monsters zijn identiek. Dit betekent dat de geteste personen een eeneiige tweeling zijn of dat de monsters van een en dezelfde persoon afkomstig zijn.
Zekerheid van het geconstateerde: 99,4%

Wat betekent dat? Als ze een eeneiige tweeling zijn, dan hebben ze dezelfde vader en dezelfde moeder. Maar volgens die vrouw van de kliniek kan dat niet. Als hij uit zijn eigen moeder geboren is en Olaf uit die van hem, dan kunnen ze geen tweeling zijn. Dan zijn ze hoogstens halfbroers. Onzekerheid 0,6%. Misschien hebben ze daar een fout gemaakt, misschien hebben ze zelf iets fout gedaan met de buisjes... Of iemand liegt. Of zijn ze toch in het ziekenhuis waar ze geboren zijn verward, hebben ze daar de verkeerde baby's meegegeven. Maar ze zijn niet in hetzelfde ziekenhuis geboren en niet op dezelfde dag...

Hij vouwt de brief dubbel en stopt hem in zijn jaszak. Misschien weten Anne en Maarten het echt niet. En als hij het vertelt... Als zij zijn ouders niet zijn, dan is hij hun kind niet meer. Hij zou de brief willen weggooien en erover liegen, maar het is te laat. Hij weet het en nu moet hij het Olaf ook nog vertellen. Op de rand van zijn bed belt hij hem. Olaf neemt niet op.

'Hallo Olaf, kun je me even terugbellen. Ik moet je wat vertellen.' Hij kan het straks nog een keer proberen, hij kan wachten tot Olaf terugbelt. Hij kan ook naar hem toe. Hij moet hem spreken.

Philip kijkt naar zichzelf in de donkere ruit van de metro. Af en toe komt een lichtje voorbij dat het beeld breekt: even is hij zichzelf kwijt, dan duikt zijn spiegelbeeld weer op. Hij bestudeert zijn gezicht, bekijkt het alsof het niet van hem, maar van Olaf is. Hij heeft een broer.

Bij de uitgang van het station belt hij nog een keer maar hij krijgt weer de voicemail: Olaf is in gesprek of hij heeft zijn telefoon uitgezet. Even kijkt Philip om zich heen, de man die hem aansprak bij de automaat wil hij niet nog een keer tegenkomen, maar het is stil op straat. Snel steekt hij over naar de flat. Als hij op de lift staat te wachten, twijfelt hij nog heel even. Wat nou als de moeder van Olaf open- doet? Het maakt niet meer uit. De lift gaat open, hij stapt in en drukt op de elf.

De gordijnen van de flat van Olaf zijn nog dicht, het rol- gordijn naast de voordeur ook. Vreemd, het is bijna twaalf uur. Hij klopt twee keer op de ruit maar als hij niets hoort, belt hij aan. Niemand doet open. Nog een keer, dan geeft hij het op.

De lift is er nog. Twee verdiepingen lager stopt hij en gaat de deur open. Het meisje dat hem toen, in dezelfde lift kuste, kijkt hem aan. Ze schrikt, doet een stap achteruit. De deur gaat vanzelf weer dicht maar net voor hij helemaal dicht is, steekt ze er een voet tussen. Schokkerig gaat de deur weer open. Ze staart hem aan. Achter haar komt het jonge- tje tevoorschijn dat ooit op het perron een blikje naar hem gooide.

'Je moest toch werken?' Ze klinkt verbaasd en beledigd tegelijk.

Als hij wat terugzegt verraadt hij zich. Misschien heeft hij zich al verraden. Hij voelt zijn hoofd warm worden, zijn wangen rood.

'Olaf?'

Philip kucht. 'Ik ben Philip.'

Het jochie staat hem nu schaamteloos aan te staren, het meisje kijkt hem strak aan.

'Familie?' vraagt ze.

'Zijn jullie een tweeling?' vraagt het jochie.

'Ja, nee.'

'Ja, nee?'

Philip wil er niet over praten. Niet met iemand die hij helemaal niet kent.

'Weet je waar Olaf is? Ik moet hem spreken.'

'Hij is bij Pat.'

'Weet je wanneer hij terugkomt?'

'Ik ben zijn moeder niet.'

Philip drukt op de knop om de deur weer te sluiten maar het meisje houdt de deur open.

'Ik kan je wel even naar Pat brengen. Het is niet zo ver.'

'Ik ga ook mee.' Het jochie wil de lift in gaan maar het meisje houdt hem tegen.

'Nee, jij niet. Jij zou thuis blijven.'

'Jij ook.'

'Dag Ramon.' Het meisje stapt bij Philip in de lift en drukt op de knop. De deur gaat dicht.

Nu zijn ze samen in het veel te kleine hokje.

'Ik ben Montsé,' zegt ze.

Philip zegt niets en telt de verdiepingen af. Hij is blij als ze beneden zijn en hij de lift weer uit kan.

'Heb je een fiets?'

'Ik ben met de metro.'

Montsé gaat een fiets halen, het duurt maar even en dan is ze terug. Philip gaat achterop zitten. Hij houdt zich vast aan het rekje en is bang achterover te vallen.

'Toen, die keer in de lift, dat was jij ook hè?'

Philip slikt. 'Hm hm.'

'Ik wist het,' zegt Montsé en ze klinkt tevreden.

Waarom kuste je me dan? denkt Philip.

'Maar hoe zit het nou? Is Olaf familie?'

'Dat denk ik wel.'

Ze draait zich half om, een wenkbrauw opgetrokken.

'Ik weet niet hoe het zit.'

Ze fietsen de straat uit. Als ze links afslaan worden ze bijna aangereden door een enorme pick-uptruck. Montsé botst de stoep op en Philip valt bijna van de fiets.

'Hé, dat was Pat!' zegt Montsé en ze kijkt de auto na.

'Zat Olaf er ook in?'

'Heb ik niet gezien.'

Ze rijden verder, slaan nog een keer af en stoppen bij een laag gebouw met een grote metalen roldeur. Montsé zet de fiets tegen de gevel, Philip belt Olaf. Ver weg gaat een telefoon over.

'Stil eens.'

'Dat is die van Olaf! Hij is hier.'

Philip twijfelt. 'Ik weet niet.' Hij hangt op en de telefoon stopt ermee. Hij belt nog een keer en weer gaat de telefoon. 'Waarom neemt hij niet op?'

'Misschien zit hij op de wc, misschien is hij zijn telefoon vergeten.'

Philip voelt aan de deur maar hij gaat niet open.

'We kunnen achterom,' zegt Montsé. 'Daar zit het kantoor.'

Ze pakt de fiets en Philip springt achterop. Iets verderop is de oprit naar het parkeerterrein achter de gebouwen. Op de parkeerplaats staan blauwe scheepscontainers, aanhangers en stapels pallets. 'Bij die blauwe deur is het,' wijst Montsé.

Links en rechts van de blauwe deur zijn kleine raampjes. Er zitten tralies voor.

Montsé voelt aan de deur, hij is op slot. Philip kijkt door een raampje naar binnen. Achter het raam is een kantoortje. Dan ziet hij Olaf. Hij zit op een stoel met zijn handen achter zijn rug. Hij heeft een dik oog, een donkere vlek op de zijkant van zijn gezicht en een bebloede lip.

'Ze hebben hem geslagen! Olaf!' Hij bonst op de ruit. Olaf schrikt, maar als hij Philip en Montsé herkent glimlacht hij. Moeizaam komt hij overeind, zijn handen zijn vastgebonden, en loopt hij naar het raam. Met zijn kin probeert hij het raam open te duwen, het gaat niet. Hij sleept een stoel naar het raam en gaat erop staan. Na even proberen lukt het hem om de grendel te openen. Als er geen stangen voor zaten had hij er misschien wel uit gekund. Hij stapt van de stoel.

'Hé.' Olaf lacht vermoeid maar hij lijkt blij om Philip te zien.

'Wat is er met jou! Heb je pijn?'

'Gaat wel.'

'Waarom zit je vastgebonden? Ik bel de politie.'

'Nee, nee, doe maar niet.'

'Hoe bedoel je? Je zit vast, ze hebben je mishandeld!'

'Ik ben iets van ze kwijtgeraakt. Ze denken dat ik het gestolen heb.'

'Is dat niet zo?'

'Nee.' Hij glimlacht. 'Deze keer niet.'

'Wat is het?'

'Een envelop, een pakje. Ik moest het bezorgen voor Pat.'

'We bellen gewoon de politie!'

'Nee, niet doen.'

'Waarom niet?'

'Kan niet.'

'We kunnen je helpen met zoeken,' zegt Montsé.

'Waar dan? Ik weet echt niet waar het is. Anders had ik het echt wel gezegd.'

'Waar heb je dat pakje het laatst gezien?' vraagt Philip.

Olaf zucht en schudt zijn hoofd.

'Sorry, ik lijk mijn moeder wel.'

'Geeft niet. Ik kwam er vorige week al een tekort. Maar ik kon er steeds een van de bezorging erna gebruiken om het aan te vullen. Maar gisteren was er niks om te bezorgen en toen belden ze Pat om te zeggen dat er een te weinig was.'

'Ik kan goed zoeken,' zegt Montsé. 'Moet ik bij je thuis gaan kijken?'

'Daar zijn Pat en Rat nu naartoe. Maar het ligt er niet.'

'Hoe ziet het eruit?'

'Gewoon. Een kale bruine envelop, niks erop.'

Vorige week. Philip haalt diep adem, zijn hart bonkt. 'Van karton?'

'Ja, bruin karton.'

'Zo groot als een boek?'

Olaf knikt langzaam.

'Je ben bij mij thuis geweest!'

Olaf kijkt naar de grond. Hij is niet stoer meer.

'Met de sleutel van oma!'

Montsé snapt er niets van. 'Kan dit een andere keer? Straks komen ze terug...'

'Hij stikt maar.' Philip loopt weg. Montsé komt achter hem aan en pakt zijn arm.

'Ik weet niet waarom je boos bent maar je kan hem niet

laten zitten als je weet waar dat pakje is. Je kent Pat niet. Die doet hem écht wat aan.'

'Eigen schuld.'

'Maar jullie zijn vrienden!'

'We zijn helemaal geen vrienden.' Philip trekt zijn arm los en loopt verder.

'Je bent familie. Dat is nog erger!'

'Ik ben geen... ook al ben ik familie, hij zoekt het maar uit.'

'Doe het dan voor mij.'

Hij kijkt haar aan maar staat niet stil. Hij kent haar niet eens. 'Olaf heeft de hele tijd lopen liegen. Vanaf de eerste dag. Ik dacht dat hij een vriend was.'

Montsé staat stil, Philip loopt door. Hij voelt haar blik. Ze roept hem na. 'Straks vertelt Olaf dat het bij jou ligt, dan komen ze het bij je thuis halen.'

Philip staat stil. Hij draait zich om. 'Olaf vertelt het ze niet. Dat doet hij niet.'

'Wel als ze hem dwingen.'

Philip vloekt binnensmonds. 'Ik ga die envelop halen, maar ik wil Olaf niet meer zien.'

'Ik ga wel met je mee.'

'Dat hoeft niet.'

Ze doet het toch. Ze gaat de fiets halen en samen rijden ze naar de metro. Op het perron staat ze naast hem en blaast kauwgumbellen. In de metro gaat ze naast hem zitten, in de bochten komen hun benen tegen elkaar.

'Maar hoe zit het nou? Is Olaf je broer?'

'Ik wil het er niet over hebben.'

Ze schudt haar hoofd en kijkt naar haar handen. Met haar duim krabt ze de restjes rode nagellak van haar nagels.

Nog één halte.

'Je kan hier op me wachten. Ik ben zo terug.'

'Ik loop wel even mee.'

'Doe maar niet.'

Ze doet het wel. Waarom luistert ze niet gewoon?

'Ik ken niemand die hier woont.'

Dat houden we zo, denkt Philip. Hij gaat de treden naar de voordeur op en doet de deur van het portiek open.

Montsé kijkt keurend naar het huis.

'Blijf maar even hier, ik ben zo terug.'

'Ik kan wel meelopen.'

'Nee.' Hij gaat naar binnen en duwt de buitendeur dicht tot hij klikt. Hij gaat met de trap naar boven. De envelop ligt in het postrekje van Anne, waar hij hem neergelegd heeft. Als hij weer beneden komt zit Montsé met haar rug naar hem toe op het trapje te wachten. Ze draait haar hoofd langzaam en kijkt hem over haar schouder aan. Dat heeft ze vast geoefend, in de spiegel.

'Is dat het?'

'Ja.'

'Wil je niet weten wat erin zit?'

'Nee.'

'Philip, jongen, praat toch niet zoveel!'

Hij haalt zijn schouders op. Montsé hoort bij Olaf.

Ze pakt de envelop aan en loopt weg zonder iets te zeggen. Hij kijkt haar na tot de hoek en gaat dan naar binnen. Hij loopt door de woonkamer en bedenkt dat Olaf er rondgelopen heeft. Het is bijna of hij de sporen kan zien. Hij ploft neer op de bank. Zou hij wat gepikt hebben? Wat zou hij allemaal bekeken hebben?

Familie, dat is nog erger. Hij was het bijna vergeten, de uitslag. Hij haalt hem uit zijn zak en leest hem nog een keer. *Identiek.* Het staat er: *De door u aangeleverde monsters zijn identiek.* Hij denkt aan de mishandelde plant bij oma en schrikt van de gedachte. Kan dat ook bij mensen? Niet een vader en een moeder maar één volwassene. Een stukje eruit halen en dat laten groeien tot een heel mens? Of twee?

Inspecteur Wallander

Om drie uur is Philip terug bij oma. Hij heeft sinds vanmorgen niet meer gegeten, hij heeft niet eens trek, maar zijn maag knort. Met tegenzin smeert hij een paar boterhammen. Als Hedwig de keuken binnenkomt, neemt hij het bord mee naar zijn kamer. Hij heeft geen zin in gezeur over boterhammen tussendoor.

Op de rand van zijn bed eet hij zijn brood, in de keuken gaat zijn telefoon. Laat maar gaan. Nog later, tijdens zijn tweede boterham, gaat de telefoon weer. Oma roept vanuit de kamer. Hij weet wie het is en hij wil hem niet spreken. Een derde keer gaat de telefoon. Oma klopt op de deur en kijkt naar binnen.

'Hoorde je het niet?'

'Jawel. Ik wil hem niet spreken.'

Oma knikt. Ze legt de telefoon op het bureau en doet zachtjes de deur dicht.

Philip pakt de telefoon en gaat op bed liggen. Drie oproepen gemist. Hij kijkt naar het plafond, meet met zijn ogen de kamer. Vier bij drie en daarbuiten is oma die zijn oma misschien niet is. Daar zijn Anne en Maarten die zijn ouders misschien niet zijn. De kamer is een ruimteschip, een onderzeeër en daarbuiten is niets. Buiten is Olaf. 99,4% zeker zijn tweelingbroer, 100% zeker een lul.

Twee nieuwe berichten:

15: 04 Alles gelukt dank je wil je graag spreken

15: 17 Moet je spreken bel me terug

Geen sorry. Niet: het spijt me. *Bel me terug.* Hoe durft hij.

'Heb je gelezen wat je er allemaal van kan krijgen?' Op tafel voor oma ligt een doosje met medicijnen. Ze heeft de bijsluiter in haar hand en ze kijkt Hedwig over haar leesbril heen aan.

Hedwig schudt haar hoofd. 'Dat moeten ze erop zetten. Er zijn mensen die last van bijwerkingen hebben. Dat wil niet zeggen dat jij ze ook krijgt. En al helemaal niet dat je ze allemaal krijgt.'

'Haaruitval, nierfalen... Ze proberen me te vergiftigen. Ik heb altijd gezond gegeten en dan ga ik nu die rotpillen slikken?'

'Pauline, je hebt geen keus.'

'Je hebt altijd een keus.'

Hedwig slikt een opmerking in en loopt de kamer uit.

Oma kijkt Philip aan. Ze wil wat zeggen maar bedenkt zich en loopt achter Hedwig aan de kamer uit. Hij hoort ze in de keuken verder praten. Even later komen ze samen de kamer weer in. Hedwig met de theepot en de kopjes, oma met de koektrommel. Ze drinken thee en kijken naar een programma op de Engelse tv over mensen die hun rommel veilen. Oma vindt het leuk. Ze praten niet meer over de pillen. Na de thee helpt Philip met koken. Hij schilt aardappels, wast de sla en dekt de tafel. Hij doet van alles om maar niet niks te doen. Na het eten gaat hij naar zijn kamer. Er is een e-mail van Olaf.

Je hebt de uitslag van de test en we zijn tweelingbroers (want jij zei tegen Montsé dat we familie zijn en als de test negatief was had je dat niet gezegd en de test was of we een tweeling waren). Dan moeten we dezelfde ouders hebben maar we weten dat we uit een andere moeder geboren zijn. Er moet dus iets fout gegaan zijn bij WEL & BOSCH. Ik ga er morgen naartoe. 9 uur op Centraal Station.

Hij leest het, klikt op *verwijderen* maar haalt het bericht toch weer uit de prullenbak. Het is een truc van Olaf. Hij weet dat Philip erover na gaat denken, dat hij nieuwsgierig wordt. Maar hij trapt er niet in.

Oma en Hedwig zitten op de bank en kijken naar een Zweedse politieserie. Philip houdt niet van politieseries, ook niet van Zweedse.

'Ik ga slapen.'

'Verstandig van je. Je ziet er een beetje pips uit. Weet je al wat je morgen gaat doen?'

'Nee, nou. Misschien.'

Hedwig glimlacht. Op tv stapt inspecteur Wallander over een afzetlint en loopt naar een lichaam onder een laken.

'Slaap lekker,' zegt Hedwig.

Wel & Bosch

Olaf staat hem op te wachten. Als Philip de hal binnen-komt, loopt hij naar hem toe.

'Daar ben je.' Hij zegt het alsof hij niet anders verwacht-te.

Philip voelt de boosheid weer opkomen. 'Ik wil niet dat jij meer weet dan ik.'

Olaf moet erom lachen. Hij loopt met Philip mee naar de kaartjesautomaat. 'Bedankt dat je het pakje gehaald hebt.'

Bedoelt hij het spottend? Philip kijkt hem aan en dan weer snel terug naar de automaat. *Laat u niet afleiden tijdens het pinnen* zegt de sticker.

'Ik meen het. Pat had me echt wat aangedaan. Het is duur spul.'

Het kaartje valt in de bak.

'Heb je verteld dat je het ergens had laten liggen?'

'Echt niet. Montsé heeft het door het raam naar binnen gegooid en ik heb het half achter de kast gestopt. Dacht Pat dat het de schuld van Rat was. Duizend keer sorry en honderdvijftig euro.' Olaf lacht. 'Voor dat geld mag hij me vaker slaan. Spoor 2B, ik had al gekeken.'

Ze lopen naast elkaar door de hal, ze staan naast elkaar op de roltrap. Olaf heeft zijn handen in zijn zakken.

'O ja.' Hij haalt een hand uit zijn zak en laat een sleutel zien. 'Kan je die teruggeven aan je oma?'

Philip steekt de sleutel in zijn zak. 'Wat heb je bij mij thuis gedaan?'

'Niks. Ik wilde voelen hoe het was om jou te zijn.'

'En?'

'Ik was gewoon mezelf in jouw huis.'

Zes minuten nog. Het perron loopt langzaam vol.

Het is rustig in de trein. Ze gaan tegenover elkaar zitten, de stoelen naast ze zijn leeg.

'Weet je wat het is?' zegt Olaf. 'Ik ben gewoon nieuwsgieriger dan jij.'

'Ik ben wel nieuwsgierig maar ik doe geen dingen die niet mogen.'

'Dan ben je niet echt nieuwsgierig.'

'Ik ga nu toch met je mee?'

Buiten klinkt een fluitje, de deuren gaan dicht en de trein begint langzaam te rijden. Olaf glimlacht.

'Waarom lach je?'

'Ik dacht: straks is alles anders. Als we weten hoe het zit. Hoef ik niet naar Frankrijk.'

Ja, denkt Philip, straks is alles anders. Het is niet iets om naar uit te kijken.

Bijna twee uur duurt de reis bij elkaar. Philip heeft een boek uit de kast van oma meegenomen, een fles water en boterhammen.

'Heb je die brief bij je? Mag ik hem zien?'

Olaf leest de brief. 'Identiek is toch helemáál hetzelfde?'

'Ja.'

'En die 0,6%?'

'Dat is niet veel.'

Olaf doet zijn ogen dicht en gaat slapen, Philip pakt zijn boek. Hij probeert te lezen maar zijn gedachten blijven niet bij het verhaal. Waarom heeft hij niet zelf bedacht om naar Wel & Bosch te gaan, waarom heeft hij Olaf daarvoor nodig?

Een vrouw op het bankje naast ze pakt haar tas en gaat naast Olaf zitten. Philip voelt dat ze Olaf en hem zit te bekijken. Als ze voorbij een station komen en Philip even opkijkt, grijpt ze haar kans.

'Eigenlijk ben ik ook een tweeling, maar mijn zusje overleed tijdens de bevalling. Maar wij waren twee-eiig. Dat is anders hè, dan lijk je niet zo op elkaar. Jullie worden zeker vaak door elkaar gehaald.'

Philip hoeft niets te zeggen, ze gaat vanzelf wel door. Olaf verzit even maar doet alsof hij slaapt. Philip kan niet verder lezen zonder onbeleefd te zijn. Hij knikt wat, glimlacht maar hoopt dat ze ophoudt.

'Tweelingen hebben ook een speciale band, dat zeggen ze dan. Als de een iets overkomt, dan voelt de andere dat. Ik heb wel eens gelezen dat sommige tweelingen zelfs een eigen taal hebben waarmee ze tegen elkaar praten.'

'Ikoe wordoe gekkoe vanoe dieoe truttoe.' Olaf heeft zijn ogen niet eens opengedaan. Philip duikt in zijn boek, bang dat hij gaat lachen.

Het duurt even voor ze het begrijpt, maar dan staat ze beledigd op en gaat verderop zitten.

Op het stationsplein, bij de bushalte, eten ze het brood van Philip. De mist is verdwenen, het wordt al wat warmer.

Ze hebben de bus bijna voor zichzelf alleen, ze kunnen samen op de bank helemaal achterin. Ze rijden het stationsplein af en al snel zijn ze het dorp uit. Het voelt als een schoolreisje. Af en toe een boerderij, maïsvelden en bos. Een moeder met een klein kind stapt in. De weg is leeg. Soms een tegenligger, een kruispunt.

De chauffeur kijkt in zijn spiegel: 'Volgende halte Wel & Bosch.'

Olaf steekt zijn hand op en drukt op de knop.

Wel & staat er op het muurtje links, *Bosch* op het muurtje rechts, ertussen loopt een brede laan met aan beide kanten enorme kastanjebomen. Verderop, verscholen achter de bomen, staat een groot gebouw. Het is oud en streng, iets tussen een kerk en een school in, gebouwd van rode bakstenen met versieringen van witte stenen. Onder een overkapping is de ingang. Ze lopen de oprijlaan af in de richting van het gebouw, als de telefoon van Philip gaat. Het is oma.

'Ben jij dat?'

'Ik ben het, Philip.'

'Ik ben zo blij dat ik je te pakken krijg. Ik probeer Maarten al de hele morgen te bellen.'

'Maarten en Anne zijn op reis, weet u nog?'

Olaf is ongeduldig. 'Kan dat straks niet even?'

Philip schudt zijn hoofd.

'Geef me die brief even.'

Philip pakt de envelop en geeft hem aan Olaf. Hij houdt zijn hand voor de microfoon. 'Loop maar door, ik kom eraan.'

'Wat zeg je jongen?'

'Nee, dat was tegen iemand anders.'

Olaf steekt de parkeerplaats voor het gebouw over en verdwijnt door de deur onder de overkapping.

'Tegen Maarten?'

'Nee oma, Maarten en Anne zijn op reis.'

'Op reis...?'

'Met het werk van Maarten. Ze komen zondag weer terug.'

'En jij dan?'

'Ik logeer bij u. En bij Hedwig.'

'Die ken ik niet.'

'Jawel oma. Hedwig. Ze logeert bij u, ze past op u.'

'O ja.'

'Waarom belt u, oma?'

'Je belde mij toch?'

'Nee hoor. Is Hedwig daar?'

(...)

'Oma?'

'Ik geef je dingetje even. Dag jongen.'

'Hallo?'

Oma hangt op. Philip belt terug, twee keer, tot ze oppakt.

'Hallo jongen. Bel je me weer?'

'Ja, maar ik bel eigenlijk voor Hedwig.'

'Ik geef haar even.'

Het duurt eindeloos. Hij hoort oma hijgend de trap op gaan. Ze praat met iemand maar hij kan het niet verstaan.

'Met Hedwig.'

'Hallo Hedwig, met Philip. Oma belde me net. Gaat het wel goed met haar?'

'Ik denk dat ze even moet rusten. En ze moet haar medicijnen niet weggooien. Maak je maar niet druk. Tot vanmiddag.'

'Dag Hedwig.'

Olaf staat tegen de receptiebalie geleund.

'Ze komt eraan, de voorlichtster.'

Vanuit een gang komen voetstappen dichterbij. Een vrouw komt de hal in lopen. Ze is ouder dan Anne, jonger dan oma en ze lacht professioneel. Aan de telefoon klonk ze jonger.

'Machteld Oosthoek. Lopen jullie mee?' Ze volgen haar door een lange gang. Aan het einde ervan houdt ze een deur open naar een werkkamer. 'Ga zitten. Waarmee kan ik jullie helpen?'

Philip begint. 'Een tijdje terug heb ik u aan de telefoon gehad.'

Ze glimlacht. 'Dat kan zijn...'

'Ik wilde weten hoe het kan dat we zo op elkaar lijken.'

Machteld gaat achterover zitten en schudt langzaam haar hoofd. 'Er staat me iets bij over dat telefoongesprek...'

'We willen graag weten wie onze ouders zijn.'

Machteld knijpt haar ogen tot spleetjes. 'Ik begrijp je vraag niet helemaal. Je weet niet wie je ouders zijn?'

'We weten wel wie onze ouders zijn. Maar dat kan niet kloppen. Want we hebben niet dezelfde ouders en toch zijn we een tweeling.'

'En je weet zeker dat je een tweeling bent?'

Olaf legt de testuitslag met een klap op tafel.

Machteld pakt de brief en leest hem. 'Een eeneiige tweeling. Dan heb je dezelfde ouders.'

'Precies,' zegt Olaf.

'En wat is de vraag?'

'We hebben andere ouders.'

'Dat kan dus niet.'

'Daarom zijn we hier. We zijn allebei hier verwekt. Misschien is er iets fout gegaan. De verkeerde eitjes in de verkeerde moeder?'

'Embryo's. Embryo's, geen eitjes,' verbetert Machteld. 'Nee, zo'n fout, dat is hier niet mogelijk.'

'Misschien is het expres gedaan?'

'Dat doen we bij Wel & Bosch niet.'

'En dus?'

'Ik heb geen idee.'

Olaf zucht overdreven diep. 'Waarom praten we dan met jou? Is er niet iemand die het wel begrijpt?'

'Jongeman, kan jij je gedragen?'

'Sorry,' sust Philip, 'maar we weten dat het niet klopt. We willen weten hoe het wél zit.'

132

'Ik kan, ik mag dat niet eens bespreken zonder toestemming van jullie ouders.'

'Ja, lekker!' Olaf laat zich achterovervallen in zijn stoel. 'Dan hadden we hier niet hoeven komen.'

'Nee. En daar kan ik niets aan doen.'

'Ja, jij niet. Roep je baas dan maar.'

'Ik ben verantwoordelijk voor de voorlichting.'

'Nou, licht ons dan voor. Of roep iemand die er wel verstand van heeft.'

'Klaar. Ik heb geen behoefte aan onbeschoft gedrag.' Machteld staat op, loopt naar de deur en houdt die voor ze open. 'Bespreek het maar met jullie ouders. Laat ze maar een afspraak maken als er dan nog vragen zijn.'

Philip kijkt Olaf woedend aan, Olaf doet alsof hij het niet begrijpt.

'Zijn we helemaal hiernaartoe gekomen en dan stuurt u ons zo weg?'

'Willen jullie nu gaan, ik heb werk te doen.'

Ze lopen door de gang terug. Olaf is boos op Machteld, Philip is boos op Machteld en op Olaf.

'Goedemiddag,' zegt de receptioniste vriendelijk.

Ze lopen een paar passen uit elkaar. Alsof iemand zou kunnen denken dat ze niet bij elkaar horen. Ze steken de parkeerplaats over in de richting van de uitgang. Halverwege bukt Olaf en pakt iets van de grond. Hij draait zich om en gooit het naar de ingang van het gebouw. Een droge tik en dan vallend glas.

'Wat doe je!'

'Het was een kastanje! Ik gooide helemaal niet hard.'

De receptioniste komt naar buiten. 'Hé!'

Ze rennen weg. De parkeerplaats af, de oprijlaan op. Op de hoek komt een auto ze voorbij. De man achter het stuur kijkt ze aan, verbaasd, geschrokken. Hij let niet op en rijdt met veel gekraak de heg in langs de parkeerplaats. Olaf en Philip kijken niet om, ze zijn bijna bij de uitgang. Ze steken de weg over, rennen in de richting van de bushalte. Pas daar kijken ze over hun schouder om te zien of ze gevolgd worden. Als er niemand aan komt, gaan ze gewoon lopen. Nu zucht Philip.

'Als je nou even normaal had gedaan, had ze misschien nog moeite voor ons gedaan.'

Olaf kijkt stuurs voor zich uit. Hij bekijkt de dienstregeling, werpt een blik op zijn horloge en gaat op het bankje zitten.

'Hoe lang nog?'

'Tien minuten,' zegt Olaf zonder op te kijken.

Philip gaat tegen de zijkant van het hokje staan.

'Philip? Wat nu?'

Philip draait zich om naar Olaf. Achter Olaf ziet hij hoe van de kant van Wel & Bosch een auto komt aanrijden. Het is de auto die ze bij het wegrennen tegenkwamen.

'Olaf! Weg!'

Olaf ziet de auto ook, springt op en duikt samen met Philip in de bosrand achter het bushokje. Gehurkt, verscholen achter een boom, zien ze hoe de auto stopt bij de bushalte. Op het voorspatbord zit een diepe witte kras. De man buigt voorover om door de ruit aan de passagierskant naar buiten te kijken. Hij ziet hen niet. Dan rijdt hij verder. Philip wil overeind komen maar Olaf houdt hem tegen. Een paar tellen later komt de auto terug. Bij de ingang van Wel & Bosch slaat hij af.

Olaf spuugt op de grond. 'Die wil ons vast ook nog de schuld van die auto geven. Waar bemoeit hij zich mee? Zo'n stom ruitje!'

De bus komt, ze stappen in en gaan naast elkaar in de lege bus zitten. Tijdens de rit praten ze niet. Ze wachten op de trein, nog steeds zonder iets te zeggen. In de trein pakt Philip zijn boek, Olaf kijkt verveeld naar buiten. Dan pakt hij een krant uit het rek boven zijn hoofd.

'Mag ik de brief terug?'

'Welke brief?' Olaf kijkt niet eens op uit de krant.

'De uitslag.'

'Heb ik niet, die heb jij.'

Philip klapt zijn boek dicht. 'Die heb jij en dat weet je. Ik wil hem terug. Nu. Ik zag dat je hem daar aan tafel in je zak stak.'

Olaf kijkt hem strak aan, pakt dan de brief uit zijn jaszak en steekt hem uit naar Philip. Philip grist de uitslag uit de hand van Olaf. Hij wil niet dat Olaf hem heeft. Hij wil het zelf aan Anne en Maarten vertellen. Áls hij het gaat vertellen.

De deur aan het einde van de coupé gaat open. 'Goedemiddag, vervoersbewijzen alstublieft.'

Een conducteur komt binnen. Olaf draait zich om, kijkt, verscholen achter de rugleuning, naar de conducteur en als die bezig is met een kaartje, gaat hij ervandoor. De conducteur komt langs, Olaf blijft weg. Als de trein even later bij een station stopt en weer wegrijdt, komt Olaf van de andere kant de coupé weer binnen. Hij hijgt als hij weer tegenover Philip gaat zitten.

'Is niet zo moeilijk als het druk is.'

'Waarom koop je geen kaartje? Je had honderdvijftig euro gekregen.'

'Op. Moest nog wat betalen.'

Een halfuur later zijn ze terug op het Centraal Station. Bij de uitgang van het station staan ze stil. Olaf kijkt Philip aan.

'Wat nu?'

'Ik moet erover nadenken. Eigenlijk moeten we een test met onze ouders doen. Met alle vier.'

'Ja, goed idee. Als het lukt.'

Philip kijkt naar de grond. 'Ik weet het niet. Straks zijn mijn ouders mijn ouders niet. Wat dan?'

'Niks, dan zijn het je pleegouders.'

'Weet je wel wat je zegt? Misschien zijn onze ouders wel mensen die we helemaal niet kennen.'

'Ja, en dus?'

'Daarom weet ik het niet.'

'Vaag hoor.'

'Ik denk erover, ik bel je wel.'

'Ja, doe dat maar.' Olaf steekt het plein over en verdwijnt met de roltrap in de muil van de ondergrondse. Philip kijkt hem na tot hij helemaal verdwenen is, dan gaat hij naar de fietsenstalling.

Bleker

Oma heeft het vluchtnummer op een papiertje geschreven. Het hangt op de koelkast: *KL606 zondag 5:35*. Minder dan twee dagen nog. Hoe moet hij erover beginnen? *Fijn dat jullie terug zijn. Zeg, ik twijfel een beetje of ik jullie zoon wel ben.*

Hoe moet hij vertellen over de test, over Wel & Bosch, over de dingen die hij achter hun rug om gedaan heeft? En over Olaf? Zelfs als hij ze maar de helft zou vertellen, vinden Anne en Maarten Olaf geen goede vriend voor hem. Is hij wel een vriend?

Nog vijfenveertig uur. Hij was van plan zaterdag boodschappen te doen maar het kan ook vandaag wel. Als hij rustig aan doet is hij er de rest van de ochtend mee bezig.

De komkommer in de la van de koelkast is snotterig geworden, de wortels zijn bruin en slijmerig. Hij gooit ze weg en vervangt de vuilniszak, die overzoet ruikt. Als hij terugkomt uit de kelder en zijn handen wast in de badkamer ziet hij de haarborstel van Anne op het plankje. Een paar haren zijn genoeg om het zeker te weten.

Vijfendertig euro zit er nog in de keukenportemonnee, hij dacht dat het meer was. Zou Olaf er geld uit gehaald hebben? Nee, als hij hem gevonden had, zou hij helemaal leeg zijn.

In de winkel dwaalt hij tussen de schappen en probeert te bedenken wat Anne normaal koopt. Opeens twijfelt hij of hij wel boodschappen moet doen. Straks zoeken ze er wat achter, denken ze dat hij iets goed wil maken. Misschien is dat ook wel zo. Bij de kassa moet hij een fles cola en een zak chips achterlaten omdat hij te weinig geld heeft. Met twee volle boodschappentassen en een rood hoofd waggelt hij de winkel uit.

Als Philip in de hal op de lift staat te wachten en naar buiten kijkt, komt een blauwe auto voorbij. Een auto met een witte kras. Het is de auto van Wel & Bosch. Waarom is die hier? Hoe heeft hij hem gevonden? Die ruit heeft Olaf ingegooid en die kras, dat was echt zijn eigen schuld.

De lift gaat open, Philip schuift de tassen naar binnen. Boven zet hij ze in de keuken. Hij loopt naar het raam en kijkt naar beneden. De auto is gedraaid en staat een stukje verderop aan de overkant geparkeerd. Philip kan niet zien of er nog iemand in zit of dat hij al uitgestapt is.

Wat nou als hij aanbelt? Heel even denkt hij eraan om Olaf te bellen maar hij beheerst zich. Hij kan het echt wel zelf. Hij gaat naar buiten en zegt gewoon dat hij er niets mee te maken heeft, dat hij maar bij Olaf langs moet gaan. Of hij doet gewoon niet open. Nee. Hij moet het oplossen.

Hij gaat met de trap naar beneden, gaat naar buiten en steekt over. Hij ziet de man in de auto schrikken. Philip loopt achter de auto langs en wacht aan de passagierskant tot de man de ruit geopend heeft. Op de voorstoel ligt een foto-toestel met een telelens. Philip buigt voorover en kijkt naar binnen.

'Het was niet expres. Ik zal Olaf vragen of hij wil bellen voor de verzekering.'

De man kucht. 'Het was niet jullie schuld, ik had beter moeten opletten. Ik moet gaan.' Hij duwt op een knopje en de ruit gaat weer omhoog.

'Wat komt u doen?'

De man steekt een hand op, maar het is geen groet, het is alsof hij iets afweert. Hij start de motor en rijdt weg. Philip kijkt hem na. Wie is het, waarom kwam hij hier? 08 GVR 4.

08 GVR 4. Hij moet het nummer onthouden.

Hij pakt de boodschappentassen uit en ploft neer op de bank. Olaf bellen.

'Hé, meneer Michielse.'

'Die man van Wel & Bosch was net hier.'

'Welke man?'

'Die in de blauwe auto, die nog achter ons aan kwam.'

'Voor dat ruitje?'

'Nee, niet voor het ruitje. Hoe weet hij waar ik woon?'

'Misschien van Wel & Bosch?'

'Ik heb het niet gezegd.'

'Weet je hoe hij heet?'

'Nee.'

'Had je moeten vragen.'

'Hij reed meteen weg. Maar ik weet wel zijn nummerbord...'

Het blijft stil.

'Olaf?'

'Geef mij dat nummer, ik ken iemand die bij een garage werkt.'

'04 nee, 08 Grote Vriendelijke Reus 4.'

'Hè?'

'08 GVR 4, een lichtblauwe auto, een BMW geloof ik.'

'Ben je bij je oma?'

'Nee, thuis.'

'Ik bel je.'

Waarom duurt het zolang voor Olaf belt? Philip wacht een halfuur, dan gaat hij naar oma. Pas na het middageten belt Olaf terug.

'Ik heb hem. De auto is van Wel & Bosch. Het is iemand die daar werkt. Kunnen we ergens afspreken?'

'Ik kan wel naar jou toe komen.'

'Dat is niet zo'n goed idee. Ik kom jouw kant wel op.'

'We kunnen in het park afspreken.'
'Bij de ingang, over een uurtje.'

Olaf is op de fiets. Philip staat hem op te wachten bij de ingang en samen lopen ze door de poort het park in. Ze zoeken een bankje een beetje uit de loop. Olaf pakt een mobiel uit zijn zak.

'Heb je een nieuwe?'

'Nee, het is een prepaid. Dat is soms beter.' Hij kiest een nummer en gaat voorovergebogen op de bank zitten. Zijn stem klinkt geknepen als hij praat. 'Dag mevrouw. Met Lucas. Ik ben gisteren op de parkeerplaats met mijn fiets tegen een auto gereden. Het was per ongeluk. Maar mijn moeder zei dat ik moest bellen.'

(...)

'Een lichtblauwe BMW. Er zit een kras op maar het was echt niet expres.'

(...)

'Ik heb de nummerplaat overgeschreven.'

(...)

'Ja.' Olaf kijkt naar de binnenkant van zijn linkerhand. Met een pen heeft hij het nummer erop geschreven. 'Nul acht gee vee er vier. Grote Vriendelijke Reus.'

(...)

'Ja. Zo kan ik het beter onthouden.'

(...)

'Meneer Bleker? Dank u.' Olaf steekt Philip de telefoon toe. 'Ze gaat je doorverbinden. Hij heet Bleker. Hier.'

'Wat moet ik vragen?'

'Wat hij kwam doen.'

'Bleker.' Het klinkt zakelijk en kortaf.

'Dag meneer Bleker, met Philip Michielse. Ik zag u vanmorgen bij mijn huis.'

Het blijft stil aan de andere kant.

'Ik wil graag weten wat u kwam doen.'

Meneer Bleker kucht. 'Het was een vergissing. Ik verwarde je met iemand anders. Ik heb me vergist.' Een klik als hij neerlegt.

'Wat?' vraagt Olaf.

'Hij legt zo neer! Hij zei dat het een vergissing was.'

Olaf pakt zijn telefoon terug. 'Hij liegt. Ik geloof er niks van.' Hij kiest een nummer. 'Dag mevrouw. Met Lucas. Had ik u net ook aan de telefoon?'

(...)

'Gelukkig. Meneer Bleker zei dat ik vanavond maar even langs moest komen voor de verzekeringspapieren. En toen heb ik zijn adres opgeschreven maar nu kan ik het niet meer lezen en mijn moeder is heel boos.'

(...)

'Nee, dat durf ik niet, hij was erg druk.'

(...)

'Dat is heel aardig van u. Dorpsstraat 12, o ja, nu zie ik het weer. In 's-Gravenbeek. Is dat ver weg?'

(...)

'Misschien kan mijn moeder me brengen. Ik heb het hoor. Dorpsstraat 12 in 's-Gravenbeek. Nee, ik heb nu heel netjes geschreven. Dag mevrouw, bedankt hoor.' Hij hangt op en knipoogt naar Philip. 'Eitje,' zegt hij lachend.

Philip bijt op zijn lip.

'Wat?'

'Waarom zou hij zo van ons geschrokken zijn?'

'Ja, en waarom rijdt hij dat hele stuk om je te begluren? Die man weet er iets van. Hij werkt daar! Ik ga bij hem langs.'

'Ja, dat helpt. Dat hebben we gisteren ook gezien.'

'Heb je een beter idee? Voor jou maakt het niet uit, maar

als ik niet snel iets doe, dan woon ik in een gat in Frankrijk.'

'Is het ver?'

'Frankrijk?'

'Hou op. 's-Gravenbeek.'

'Twintig kilometer van Wel & Bosch. Ik hoop dat het twintig kilometer deze kant op is. Morgenochtend negen uur?'

Het kan niet anders. 'Oké.'

Zwanenburg

Deze keer is Philip eerder dan Olaf. Hij weet welke trein ze moeten nemen, welke bus. Ze hebben nog twaalf minuten. Voor het station wacht hij op Olaf. Olaf is op een scooter. Hij parkeert, bergt zijn helm op onder het zadel en haalt er een plastic zak uit. Dan maakt hij de scooter met twee dikke kettingen vast.

'Ha die Philip.'

'Ik heb al een kaartje. Nog acht minuten.'

'Welk spoor?'

'Vijf. Kan je deze keer gewoon een kaartje kopen?'

'Gaat niet.' Olaf pakt zijn portemonnee uit de plastic zak en kijkt erin. 'Ik heb nog maar drie euro en een beetje.' Hij laat de portemonnee in de zak vallen en haalt zijn schouders op.

Philip zucht. Hij gaat naar de automaat en koopt een kaartje voor Olaf. Olaf pakt het aan zonder iets te zeggen. Een knikje, dan stopt hij het in zijn plastic tas.

Philip pakt zijn boek en een rol koekjes uit zijn tas. Omdat het begin van de reis hetzelfde is als naar Wel & Bosch weet hij hoe lang het duurt. De rol koekjes ligt op het tafeltje tussen hem en Olaf. Olaf pakt er een en eet bedachtzaam. Ook zonder uit zijn boek op te kijken weet Philip dat Olaf hem zit te bestuderen.

Op het station staat de bus al te wachten en het is maar een kort ritje tot 's-Gravenbeek. Ze stappen uit op een kruispunt bij een kerk en Olaf vraagt de weg aan een mevrouw met een keffend hondje, ze zijn er bijna. 's-Gravenbeek doet Philip denken aan het dorp waar hij vroeger woonde. Door de huizen met tuinen, door de bomen langs de straten. Geen reclame, geen trams, geen troep op straat.

'Wat een bejaardendorp,' moppert Olaf.

Ze slaan rechts af de Dorpsstraat in, ze zijn er bijna. En dan bedenkt Philip ineens: 'Wat nou als hij er niet is?'

'Hij is er. Kijk maar.' Verderop staat de blauwe BMW.

Dorpsstraat 12 is een wit huis met een oprijlaan met grind, een rubberen deurmat en een zwart-wit naamplaatje: F. P. Bleker. Van achter het huis klinkt het geluid van een grasmaaier. Olaf belt aan. Een hond blaft, een vrouw doet open. De hond probeert zich naar buiten te wurmen maar de vrouw houdt hem met haar been tegen. Ze kijkt van Olaf naar Philip en glimlacht vriendelijk.

'Dag mevrouw. We komen voor meneer Bleker.'

'O,' zegt ze, een beetje verbaasd. 'Hij is achter, loop maar even om.'

In de achtertuin staat meneer Bleker gras te maaien. Hij heeft oorbeschermers op en hoort ze niet dichterbij komen. Pas als ze vlakbij zijn, kijkt hij op. Hij schrikt maar herstelt zich heel snel. Hij doet de motor uit en de oorbeschermers af. Hij is op zijn hoede.

'Hoe komen jullie hier? Waaróm komen jullie hier?' De woorden zijn onaardig maar hij klinkt wel vriendelijk.

Philip is Olaf voor. Hij wil antwoorden, geen ruzie. 'We hebben een probleem, een vraag eigenlijk, en we denken dat u er meer van weet.'

'Ik weet niet waar je het over hebt.'

'Waarom bent u dan helemaal naar mijn huis toe gekomen?'

Meneer Bleker schudt zijn hoofd. 'Ik kan jullie niet helpen.'

Olaf slaat zijn armen over elkaar. Hij kijkt de man strak

144

aan, zijn hoofd een beetje schuin. 'Ik ben benieuwd wat de politie ervan zegt dat je stiekem kinderen zit te fotograferen. Ben je soms een pedo of zo?'

Philip kan Olaf wel wat aandoen. Meneer Bleker knijpt zo hard in het handvat van de maaier dat zijn knokkels wit worden.

'Nou? Waarom zit je achter ons aan? Waarom maak je foto's?'

'Hou op Olaf. Meneer Bleker, we willen alleen weten hoe het zit. We zijn een tweeling maar we hebben niet dezelfde ouders. Bij Wel & Bosch willen ze ons niet helpen en u schrikt zo van ons dat u de struiken in rijdt. En u komt helemaal naar mijn huis. Waarom?'

Meneer Bleker haalt diep adem. 'Wacht hier.' Hij loopt naar het huis. Als hij er bijna is, gaat de achterdeur open. Zijn vrouw staat in de deuropening. Ze vraagt wat, kijkt naar Olaf en Philip. Bleker schudt zijn hoofd en loopt langs haar heen naar binnen. Ze doet de deur weer achter hem dicht. Philip kijkt Olaf aan, Olaf kijkt strak naar de dichte keukendeur.

Meneer Bleker komt naar buiten. Hij heeft een boekje bij zich, een fotoboekje. Hij slaat het open en steekt het Philip toe. Op de opengeslagen bladzijde staat een foto. Een zwart-witfoto van drie jongens van ongeveer Philips leeftijd op een zeilboot. Een jongen met een bril en een tweeling. Ander haar, andere kleren, maar verder... Philip houdt zijn adem in, naast hem doet Olaf hetzelfde.

'Ik wilde een foto maken om te vergelijken,' zegt meneer Bleker. 'Ik had jullie alleen in het voorbijgaan gezien. En je geheugen laat je soms in de steek. Ik was erg geschrokken, misschien kunnen jullie je dat voorstellen.'

'Wie zijn dit?' vraagt Philip.

'De jongen met de bril, dat ben ik, en dit is Bernard... of

nee, dit is Alfred en dit is Bernard Zwanenburg.'

Olaf pakt het fotoboekje en bekijkt de foto van dichtbij. 'We lijken precies op ze. Hoe kan dat?'

'Dat moet je niet aan mij vragen.'

'Zeg maar waar ze wonen, dan vragen we het zelf wel.'

'Dat zal niet gaan. Bernard is verongelukt, verdronken, toen hij zestien was en Alfred is zes jaar geleden overleden.'

Olaf vloekt binnensmonds en spuugt op het gras. Meneer Bleker doet zijn mond open om er wat van te zeggen maar bedenkt zich.

Philip kijkt van meneer Bleker naar Olaf. Alfred en Bernhard, Olaf en hij. Wat is het verband? 'Hadden ze ook wat met Wel & Bosch te maken?'

'Alfred, ja. Alfred heeft Wel & Bosch opgezet en hij was er specialist.'

'Ook toen onze ouders daar kwamen, dertien jaar geleden?'

'Ja, tot zijn dood.'

'Zou hij familie van ons kunnen zijn? Onze vader?'

Olaf tikt met zijn wijsvinger op de foto. 'Het moet wel. Hoe kan het anders dat we zo op hem lijken?'

Meneer Bleker kucht. 'Luister. Ik kan jullie niet helpen. Ik moet verder, ik ga zo weg.'

Philip haalt diep adem. 'Mijn oma heeft een plant, een orchidee. Uit die plant gaat ze nu een nieuwe kweken en die is precies hetzelfde. Zoiets kan ook met mensen, toch?'

Olaf kijkt verbaasd naar Philip. Bleker kucht weer.

'Zulke vragen moet je mij niet stellen.'

'Waarom niet, u werkt bij Wel & Bosch.'

'Maar ik ben geen arts, ik doe de financiën.'

'Ik weet hoe het zit,' zegt Olaf. 'Die Alfred heeft natuurlijk zitten prutsen bij Wel & Bosch.'

'Heeft Alfred kinderen, was hij getrouwd?' vraagt Philip.

'Nee, geen vrouw, geen kinderen.'

'En zijn erfenis?' Olaf pakt het fotoboek uit Philips handen.

Meneer Bleker schudt zijn hoofd. 'Ik heb genoeg met jullie gepraat, jullie moeten nu gaan.'

'We moeten het weten!'

'Jullie zijn bij de verkeerde persoon.' Hij trekt aan de startkabel van de grasmaaier en de motor slaat aan. Hij doet de oorbeschermers op, hij wil echt niet verder praten.

Olaf gooit het fotoboekje op de grond. Zijn gescheld komt maar net boven de grasmaaier uit. Meneer Bleker hoort het niet of hij doet alsof hij het niet hoort. Philip pakt Olaf bij zijn arm en trekt hem mee.

'Ik moet het weten!' schreeuwt Olaf.

'Ik toch ook! Maar hij weet verder niets en als je zo doet...'

'Weet je het weer beter, wijsneus?'

Philip laat Olaf abrupt los. Hij loopt de tuin uit, nageblaft door de hond. Olaf komt hem achterna. Als ze bijna bij het kruispunt zijn, komt Olaf naast Philip lopen.

'Sorry,' mompelt Olaf.

Sorry, denkt Philip, dat heb ik vaker gehoord. Ze lopen door tot het bushokje. Philip kijkt op het bord, een klein kwartier nog, en gaat zitten op het bankje. Olaf blijft staan.

'Sorry Phil, ik ben zó boos. Hoe wist je dat, van dat kopiëren?'

'Ik weet het niet zeker.'

'Kom op zeg! Dat is toch duidelijk.'

'Nou, en wat dan nog? Wat kunnen we ermee?'

'Nou, we gaan naar de politie. Het lijkt me best leuk om zelf eens een aanklacht in te dienen.'

'En dan? Die Zwanenburg is dood.'

'Maar hij werkte voor Wel & Bosch. Dan zijn die toch verantwoordelijk?'

'Aansprakelijk.'

'Nog beter. Wat is het verschil?'

'Dat weet ik niet, maar zo noem je dat.'

'Dan kan je een schadevergoeding eisen.'

'Misschien.'

'Zeker! Ik heb geld nodig.'

'Het kan jaren duren voor je het krijgt. Als je het al krijgt.'

'Hoezo? Als ze aansprakelijk zijn, dan moeten ze betalen.'

'Ja, maar zo'n rechtszaak kan jaren duren.'

'Weet je dat zeker?'

'Ja, mijn moeder is ad...'

'Advocaat. Ja ja.' Olaf schopt tegen een steentje. Het ketst via de achterwand van het bushokje terug de straat op.

'Ik weet ook niet zeker of ik wel naar de politie wil...'

Olaf draait zich met een ruk naar Philip en kijkt hem strak aan. 'Hoe bedoel je?'

'Wat denk je dat er dan gebeurt? Ik denk dat ze ons helemaal niet geloven, dat ze ons meteen wegsturen. Maar als ze ons wel geloven, als ze onderzoek gaan doen bij Wel & Bosch, bij onze ouders...'

'Nou? Prima toch?'

'Wat als het bekend wordt? Heb je ooit gehoord van gekopieerde kinderen?'

'Nee. En dus?'

'Wil jij op tv als een soort freak? Met je foto in alle kranten?'

Olaf staat stil, in gedachten, bevroren. Dan wordt hij echt boos. Zijn hoofd wordt rood. Hij haalt uit en schopt een deuk in het metalen bankje. Hij vloekt en slaat vol tegen de zijruit van het bushokje. Het is plastic maar toch is Philip bang dat het breekt. Olaf schopt tegen de ruit en de trilling galmt in het hele hokje. Dan gaat hij op het gedeukte bankje zitten. Hij buigt voorover en verbergt zijn gezicht in zijn handen. Hij begint geluidloos te huilen. Zijn schouders schokken en tussen zijn voeten vallen tranen op de tegels.

Philip gaat naast hem zitten. Heel even denkt hij erover een arm om hem heen te slaan maar hij doet het niet.

'We komen er wel achter, ik weet het zeker.'

Misschien hoort Olaf dat hij twijfelt. Dat hij eigenlijk denkt dat het een doodlopende weg is en dat ze nooit zullen weten wat Zwanenburg gedaan heeft of waarom. Misschien hoort hij dat Philip niet verder wil zoeken. Niet nu, niet zonder zijn ouders. Dat hij bang is voor wat ze kunnen vinden. Dat hij zich heel alleen voelt, maar denkt dat Olaf nog eenzamer moet zijn omdat hij Anne, Maarten en oma niet heeft. 'Ik laat je niet in de steek.'

Olaf snift.

'Als je het echt wil, dan...'

'Laat maar zitten.'

'Ik...'

'LAAT MAAR ZITTEN!' Olaf komt overeind en veegt met zijn mouw zijn ogen droog. Hij is kalm. Drie rode knokkels, een deuk in het bankje en verder is het alsof er niets gebeurd is. 'Daar komt de bus.'

In de bus, op het station, in de trein – ze zeggen niets tegen elkaar. Af en toe kijkt Philip op uit zijn boek maar Olaf houdt zijn ogen dicht en doet of hij slaapt. Halverwege de treinreis moet Philip plassen. Als hij terugkomt zit Olaf nog zoals hij zat, preciés zoals hij zat. De rugzak op de bank, de jas aan het haakje. Hij wordt er achterdochtig van maar hij schaamt zich voor zijn gedachte. Vlak voor ze er zijn doet Olaf zijn ogen open en haalt diep adem. Ze stappen uit, lopen de hal door, het plein op. Olaf kucht een zenuwkuchje. Hij maakt de scooter los terwijl Philip zijn fiets pakt.

'Wanneer zien we elkaar weer?' vraagt Olaf.

'Morgen komen mijn ouders terug. Maandag begint school...'

'Ga je het morgen met ze bespreken?'

'Misschien. Ik bel je wel.' Philip stapt op zijn fiets.

'Wacht,' Olaf start de motor. 'Ik rij een stukje met je mee. Mag die even bij jou achterop?' Hij doet zijn plastic zak onder de snelbinders van Philip.

Philip fietst, Olaf rijdt ernaast.

'Hier rechtsaf, dat is sneller.'

Philip kijkt opzij. 'Weet je het zeker?'

'Ja, hou je vast, ik duw je.'

Olaf zet zijn voet tegen het rekje en geeft gas. De fiets schiet vooruit.

'Niet te hard.' Hij heeft twee handen aan het stuur en nog slingert de fiets. Olaf lijkt hem niet te horen. Verderop staat een vrachtwagen op de weg, Olaf houdt in.

'Over de trambaan.'

Philip schudt zijn hoofd.

'Dat mag wel. Kom.'

Philip kijkt om en stuurt de trambaan op. Olaf houdt in en komt rechts naast hem rijden.

'Gaan we.' Hij geeft weer gas.

Philip is bang voor de tramrails en blijft in het midden. In de verte komt een tram ze bellend tegemoet. Olaf geeft gas, Philip kijkt kort achterom. Het gezicht van Olaf staat strak, geconcentreerd als toen op het paard. De tram komt nu snel dichterbij. Olaf geeft nog meer gas, de fiets schudt.

'Olaf!'

Dan, vlak voor ze de tram bereiken, een schok, een duw. Philip valt bijna, wijkt uit naar links. Olaf vloekt. Philip gilt. 'Olaf!' Hij kijkt om. De veter van Olaf zit vast aan het achterrekje. De band van Philips fiets komt in de tramrail.

Philip vliegt over het stuur. Achter hem valt Olaf met de scooter over de gevallen fiets. De tram remt met een klap. Philip zwaait door de lucht. Hij schampt de tram, raakt de linkervoorkant, er breekt iets. Philip draait om zijn as en klapt op de straat. Achter hem botst iets (Olaf? De scooter? De fiets?) tegen de tram. Een auto slipt. Een schop tegen zijn been. Hij ruikt bloed. Iemand gilt en dan is het stil.

UZ

Een zachte elektrische zoem. Voetstappen van iemand die weet waar hij zijn moet, pijn. Stilliggen, heel stil. Parfum en schoonmaakmiddel. Het licht schijnt door zijn oogleden heen. Misschien schijnt de zon. Een oog open? Even wachten nog. Er zit iets op zijn hoofd, een muts? Hij wil voelen maar zijn arm is zwaar. Nu hoort hij het ademen pas, vlakbij. Iemand die zich stilhoudt. Een vrouw. Hij wil wat zeggen maar zijn mond is droog, zijn tong kleeft.

Een stem: 'Ach mijn jongen toch...'

Hij heeft hem eerder gehoord die stem, lang geleden.

Voorzichtig draait hij zijn hoofd, de muts zit in de weg. Ogen openen, nu. Een gezicht dat hij niet thuis kan brengen. Bruin, met lichtblond haar. Ze steekt een hand uit, veegt haren uit zijn gezicht.

'Mijn lieve zoon.'

Nu weet hij wie ze is. Ze vergist zich.

'Philip,' stamelt hij.

Daniëlle legt haar hand op zijn arm en schudt haar hoofd. 'Het spijt me zo van je vriend.'